SNS暴力

なぜ人は匿
刃をふるうの

毎日新聞取材班 著

毎日新聞出版

はじめに

新緑がまぶしい時期だった。2020年5月23日未明、1人の女性が東京都内の自宅で命を絶った。プロレスラー、木村花《きむらはな》さん、22歳。

新型コロナウイルスの感染拡大がいったん落ち着きかけ、政府による「緊急事態宣言」は多くの府県で既に解除されていた。首都圏でも2日後に解除される見通しが出ており、人々が明るい展望を持ち始めた頃だった。

ただ、花さんにとって、視界は真っ暗だったのかもしれない。ツイッターのアカウントにはこんなメッセージを残していた（現在は削除済み）。

毎日100件近く率直な意見。
傷付いたのは否定できなかったから。
死ね、気持ち悪い、消えろ、今までずっと私が1番私に思ってました。
お母さん産んでくれてありがとう。

愛されたかった人生でした。
側で支えてくれたみんなありがとう。
大好きです。
弱い私でごめんなさい。

男女問わず多くのファンを抱え、女子プロレス界の未来を担う若手として期待されていた。4カ月半前の1月4日には、念願だった東京ドームの試合にタッグで出場。負けはしたが、試合後の会見では「夢のような時間だった」と語っていた。ピンク色の髪と派手なコスチュームで、果敢に相手に立ち向かう。時に余裕のある笑顔を見せる。リング上の動画や写真から伝わるのは、明るく強靱《きょうじん》な女性というイメージだ。

そんな現実の華やかさとは対照的に、ツイッターなどSNS（ソーシャル・ネットワーキング・サービス）上では、花さんに対する誹謗《ひぼう》中傷が繰り返されていた。きっかけは、花さんが出演していたフジテレビの人気テレビ番組「テラスハウス」での振る舞いだった。SNS上の攻撃的な書き込みは執拗《しつよう》に続き、亡くなる直前まで花さんは心を痛めていた。

ツイッターやフェイスブック、インスタグラムなどの「コミュニティー型会員制サービス」はSNSと呼ばれ、日本では2000年代後半以降、急速に普及した。今では、ニュースや情報収集、友人同士での近況や話題の共有など、生活を豊かにするツールとして欠かせないものだ。

しかし、SNSは社会的なネットワークを作るという本来の役割を離れ、悪意ある書き込みで、人々を分断するような使われ方が目立つようになった。SNSを通じた誹謗中傷、いじめ、差別……。たびたび問題となりながら、抜本的な対策は先送りされ、半ば放置されてきた。

私たち、毎日新聞統合デジタル取材センターは、世の中の関心事にスピーディーに反応し、インターネット上で読まれる記事を発信することを目的として編成された部署だ。情報収集や発信の手段として普段からSNSを活用し、その便利さや価値も実感している。そんなSNSが、なぜ人に不幸をもたらす凶器として使われてしまうのか。どんな人が被害に遭い、加害者はどういう人なのか――。

疑問を解くために、5月末以降、インタビューを重ね、ウェブサイトと紙面で記事を連載した。匿名になることで時に暴力性を帯びるＳＮＳの特性をふまえ、タイトルは「匿名の刃～ＳＮＳ暴力考」とした。取材で浮かんできたのは、被害者は誰でもなりうるし、加害者は私たちとかけ離れた特別な人たちではない、ということだった。

　本書は連載を出発点とし、大幅に取材を加え、全６章にまとめた。第１章では、木村花さんやその他の事例をたどり、ＳＮＳ暴力の被害の実態に迫った。続く第２章、第３章では、加害者の人物像、動機や心理、背景にある社会構造を掘り下げた。第４章は、被害の多様さ、その深刻さに触れ、第５章は、被害回復の方法、規制のあり方を考えた。最終第６章では、ＳＮＳの功罪を検証し、未来を探った。なお、文中の年齢は20年８月末現在で表記した。

　ＳＮＳ暴力という「社会の闇」を、皆さんと一緒に解き明かしていきたい。

SNS暴力　なぜ人は匿名の刃をふるうのか　目次

第1章　ネット炎上と加速する私刑

第2章 加害者たちの正体

第3章 言葉が刃に変わる時

第4章 深刻化する被害の真相

第5章 匿名の刃から身を守る

第6章 SNSの功罪

装丁／木庭貴信（オクターヴ）
撮影（カバー）／髙橋勝視
本文デザインＤＴＰ／明昌堂

第1章　ネット炎上と加速する私刑

女子プロレスラーの炎上と死

木村花さんは、人気番組「テラスハウス」での振る舞いを巡り、死の直前までSNS上で執拗な攻撃にさらされていた。

まずは経過をたどりたい。「テラスハウス」は、2012年にスタートした。一般募集などで集まった男女が、一つ屋根の下で共同生活する様子を放映してきた。現実のなりゆきを伝えているように感じさせる作りで、「リアリティー番組」と呼ばれる。小ぎれいなシェアハウスでの、スタイリッシュな生活。そこに若者ならではの夢や恋愛が絡む。シーズンごとに住人は入れ替わり、視聴者を飽きさせないよう工夫が凝らされている。「テラハ」という言葉は世間に浸透し、関連書籍の出版、映画化にもつながった。

花さんが入居したのは、19年秋。

〈新シーズンの舞台は東京！2020年、世界中から熱い視線が注がれるTOKYOで、台本のない男女6人の新たな青春の日々が始まります。〉

フジテレビ公式サイトには、20年8月現在もそんなシーズン紹介文が残る。この番組の一場面が、花さんへの誹謗中傷の引き金となった。20年3月末にネット動画配信サービス「ネットフリックス」で配信された第38話の「コスチューム事件」だ。

出演者のうちの一人の男性が、花さんが試合で着るコスチュームを誤って共用の洗濯・乾燥機にかけてしまう。花さんが「命と同じくらい大事」という衣装は、縮んで着用できない状態に。そして、問題のシーンとなる。

ダイニングルームで、緊迫した表情の住人たちがテーブルを囲む。「ごめん」と謝罪する男性に対し、花さんは「一緒に住むんだったら、人のこともっと考えて暮らせよ！」などとたたみかけ、「ふざけた帽子かぶってんじゃねえよ！」と男性の帽子をはたき落とす。

このシーンの配信後、ＳＮＳは「炎上」状態となった。花さんのツイッターアカウントには、罵詈雑言《ばりぞうごん》のリプライ（返信）が渦巻いた。実態を伝えるために、あえて原文のまま示す（以下同）。

〈早くテラハから消えてくれ～〉

〈キモくて弱い〉

〈お前は人間か？ほんとにゴリラなんかお前はｗｗ〉

この直後、花さんは自殺未遂をはかった。それでも、制作側は配信を止めなかった。そ

木村花さん＝
本人インスタグラムより

して、さらなる炎上状態が引き起こされる。約1カ月半後の5月14日、「〝コスチューム事件〟その後」と題した未公開映像がユーチューブで配信された。

その中のワンシーン。テラスハウスの一室で、他の女子メンバー2人がコスチューム事件を話題にする。「（コスチュームを洗ってしまった男性が）すべて悪いと思ってる?」と問われた花さんは、こう言う。「うん、思ってる。強いて言うなら、私が干さずに置いてっちゃったのは、ちょっとやらかしたなと思ったけど」。メンバーから「大事なものを置いておくのは自分の責任」とたしなめられた花さんは、泣き出して部屋の外へ。「ううう……」。花さんの嗚咽《おえつ》が聞こえてくる――そんな場面がある。

さらに4日後の18日、第38話の「コスチューム事件」が地上波でも放映され、より多くの視聴者に知られることになる。

〈マジで卒業してください〉

〈お前が早くいなくなればみんな幸せなのにな。まじで早く消えてくれよ。〉

〈顔面偏差値低いし、性格悪いし、生きてる価値あるのかね〉

心ない言葉の数々が花さんのツイッターやインスタグラムのアカウントにあふれた。そして、花さんは冒頭のメッセージを投稿し、22歳という若さで一生を終えた。

驚くことに、花さんの死後もなお誹謗中傷は続いた。

〈死んでくれてまじ感謝します　元気出ました(^_^)〉

〈てか、どう見てもこいつの自業自得なんだよなあ〉

〈自分は死んでお情けちょーだいって都合良すぎるし　世間が甘やかせ過ぎ〉

その後数日のうち、生前、死後のものを問わず、こうした書き込みの多くはアカウントごと姿を消した。結果の重大性に気づき、法的な責任を問われることを恐れたためだろう。

母響子さんが明かした「あおり」

花さんが亡くなって1カ月あまりたった頃、かねてから「お話を聞きたい」と依頼していた母響子さん(43)から記者のもとにメールが来た。取材に応じてくれるという。

「花の死の真実を皆様に知ってほしいというのが、私の願いです。そのための取材協力なら是非させていただきたく思います」

２０２０年7月4日午後、都内の待ち合わせ場所。初めて対面した響子さんが明かしたのは、炎上シーン放映に至る過程にあった、フジテレビによる「あおり」だった。

「コスチューム事件」が配信され、SNSが炎上した3月末、花さんの自殺未遂を知った響子さんは、すぐに花さんに連絡を入れた。「炎上して申し訳なくて（手首を）切ったけれど、大丈夫だよ」「大丈夫」と、花さんは繰り返した。

「炎上なんてすぐおさまるし、無責任な人たちが自分は安全なところから石を投げているだけ。自分にとって大事な人たちを大事に思う自分を、絶対に見失わないで」

響子さんはメールでこう励ました。花さんはその画面をスクリーンショットで撮って大事に保存していた。

テラスハウスの「コスチューム事件」の演出について、花さんが響子さんに打ち明けたのは、亡くなる1週間前の5月15日。花さんが大好きだった祖母の誕生日会の帰り道、響子さんの運転で花さんの自宅に向かう車内で、花さんは語った。

「（相手を）ビンタしろとスタッフからあおられた。（プロレスラーだから）ビンタはできないから帽子をはたいた」

目に涙をためていたという。

「自分の仕事道具壊されて、スタッフにカメラの前でキレろって言われて」

「ビンタくらいしちゃえばとか言われたけど、流石《さすが》にできないよ」

花さんが友人らに送ったLINEにも、そんなメッセージが残っている。共演者に必死に弁明する文面もあった。

「撮影する前にスタッフにあおられて」「あれは本当じゃないから」「だから申し訳ないと思ってるよ」「ごめんね」

5月19日、響子さんは、ステーキ弁当や中華丼、パウンドケーキを花さんに届けた。花さんの好物を揃えた。この日が花さんとの最後の別れになった。響子さんは振り返る。

「花が自宅近くの待ち合わせ場所に来るのが遅くて、『遅いよ』と言ってしまった。今思うと、元気がなかったのに」

花さんを縛った誓約書

花さんがこのシーンを断れなかった背景として、響子さんが指摘するのが、テラスハウス出演にあたりフジテレビなど制作側と交わした「同意書兼誓約書」だ。話がしばし逸《そ》れるようだが、炎上の背景を理解するために欠かせない要素である。

文書は2019年9月2日付。28項目ある誓約内容の中には、「私は、本番組収録期間中のスケジュールや撮影方針（演出、編集を含みます。）及び待遇等本番組を製作及び配信・放送するために必要な一切の事項に関して、全て貴社らの指示・決定に従うことを誓約します」とある。さらに、誓約条項に違反し放送・配信が中止になった場合、1話分の平均制作費に中止になった話の回数をかけた金額を最低額とし、「これを無条件で賠償する」と記載している。

フジテレビ側は20年7月3日の定例記者会見で、誓約書の内容を認めた上で、演出を巡り「無理強いはしていない」「感情表現をねじ曲げるような指示はしていない」とし、「演出とは段取りなどのことで、スタッフの言うことをすべて聞かなければならないということではない」と強調した。響子さんは反論する。

「パワハラやセクハラの加害者の論理と同じ。加害側が『無理強いしていない』という感覚でも、被害者側は違う」

芸能人の権利擁護に詳しい弁護士はどうみるか。佐藤大和弁護士（東京弁護士会）は、「誓約書の中で損害賠償について記載されていることで、出演者には、自身が意図しない言動でも制作側から演出上求められれば『しなければならない』『強要されている』と思わせてしまう。一方的に出演者側の義務だけが書かれており、非常に不公平な内容」と問題視する。

さらに、佐藤弁護士は「こうした誓約書が出てくる背景として、出演者だけに責任を負わせる番組作りをするテレビ業界の体質がある」と指摘する。

「花さんのケースに限らず、誓約書などで出演者の言動を制限するにもかかわらず、言動が炎上した時には基本的に出演者が責任を負い、謝罪する形になっている。これでは制作者側があまりにも無責任です」

改善策として、出演者だけが誹謗中傷の的とならない制度の構築と、出演者の精神的なケアをする体制作りを訴える。

フジテレビは7月31日、一連の経過について検証結果を発表した。花さんが響子さんに語った番組側のあおりについては「スタッフが木村さんをけしかけ、怒りをあおる様子はなかった」と否定。過剰な演出が結果的にネット上の炎上を招いたとする見方についても「炎上させる意図はなかった」と退けた。花さんの生前の訴えを全面的に否定する内容で、響子さんは「怒りとかではなく、ただ悲しい」と語った。

なぜSNS再開を余儀なくされたのか

花さんは3月末の炎上後にいったん、SNSのアプリを消し、ネット空間から距離を置いた。それでも、SNSを再開せざるを得なかった。新型コロナウイルス感染拡大で興行自粛を迫られた、プロレス業界のためだった。

〈やはりこの時期はネットで頑張るしかないと思い、sns再開致します。頑張ります（顔マーク）ご迷惑をお掛けしました、、よろしくお願い申し上げます〉

〈少しでも会社に貢献したいので、、頑張ります！〉

花さんは、所属するプロレス団体「スターダム」のスタッフにＬＩＮＥでこう伝えていた。「ＳＮＳ推進部・木村花部長」――スターダムの公式サイト上には、そんなキャッチフレーズが今も残されている。亡くなる4日前、ユーチューブにアップされたスターダム公式番組に、花さんの姿はあった。

ウェブ会議システム「Ｚｏｏｍ（ズーム）」を使い、スターダムの選手4人と画面に収まる花さん。仲間たちとふざけ合い、じゃれ合い、ケタケタと笑う。あどけなく、楽しそうだ。ただ、この回のタイトルは「フォロワーUP大作戦」。ＳＮＳ上でフォロワーを増やす戦略を考える、というのが目的だった。

本題に入ると、花さんは言葉を濁す。進行役が「ＳＮＳ推進部長なのにやっていない」と水を向けると、花さんは某バラエティー番組に「はまっている」ことを理由に、こう言う。「ＳＮＳどころじゃなくなっちゃって。ＳＮＳ苦手だわ」

花さんが誹謗中傷に悩みつつ、ＰＲのためにＳＮＳと向き合わざるを得なかったことについてどう考えるのか。7月下旬時点で、スターダムの運営会社「ブシロードファイト」は、「答える理由がない」として取材に応じていない。

過剰演出と炎上、ＳＮＳを使わざるを得なかった環境……。花さんを追い込む要素は揃っていた。響子さんは花さんの死後、自身のツイッターアカウントで訴えた。

〈誰かがお金儲けのために　まるで駒のように
誰かの憂さ晴らしのために　罵詈雑言を浴びせられた
消耗品のように扱われ　そして　消えてしまった〉
〈絶対に絶対に　繰り返してはいけないこと〉

可能性や選択肢、プロレスで見せたい

響子さんの話をもとに花さんの生い立ちをたどりたい。

花さんは、女子プロレスラーだった響子さんが20歳の時に出産。花という名は、「呼びやすく、みんなにかわいがられそう」と付けた。花さんが生後3カ月の頃からシングルマザーとなり、女手一つで育ててきた。幼少の頃から、響子さんの友人たちが集まる場では、人の輪の真ん中で踊り出すような子だった。

「にぎやかな性格で、みんなにかわいがってもらいました」

インドネシア人の父を持つ。小学校に入ると、「インドネシアに帰れ」といじめられた。

学校から泣いて帰ってくることもあったが、不登校にはならず、通学し続けた。中学校、高校では、ダンスやモデル、アイドル活動に興味を持った。響子さんは、花さんが「やりたい」と言うことは全力で応援した。自身も選手として忙しかった響子さん。

「15年間の現役生活、欠場せずに試合してきたのは、花のために頑張りたいという気合が原動力でした」

花さんがプロレスに興味を持ち始めたのは、高校生の頃。アクション女優になりたいという夢は、次第にプロレスラーへと変わった。18歳でデビュー。

ヒール（悪役）でありながら、名前の通り「花」のような存在感があり、そのギャップが人気を呼んだ。2020年1月には、東京ドームの大会でもリングに上がった。

19年秋からのテラスハウスへの出演は、「女子プロレスを広めたい」という思いからだった。

「テラハを見て、初めて女子プロを見に来ました、というお客さんがいた」とうれしそうに話していたという。

19年10月にあった、スターダムが別会社の傘下に入る際の記者会見。チェック柄のジャケットに身を包み、壇上に並んだ花さんの会見時の発言が、スターダム公式サイトに残っていた。

「これからやっていきたいこと。女子プロレスをあまりよくわかっていない同世代の方とか女性の方、プロレスをよくわからないという方がすごく多いなと感じているので、まだプロレスが行き届いていないところに女子プロレスってこういうものですよっていうのを伝えていきたい」

「最近よく思うのが、障害とか、施設とかでハンディキャップを持って日頃暮らしている人たちに、勇気を与えることができる職業だと思っているので、施設とかで暮らしている子たちや、刑務所とかで過ごしている方たちに私たちが試合を見せに、こういう選択肢もあるよというのを伝えていきたいなと思っています」（一部略）

そんな花さんの言葉を、響子さんは振り返る。

「自分がハーフというマイノリティーだったこともあり、昔から立場が弱い存在には優し

中学生の頃の木村花さん（左）と母響子さん＝響子さん提供

い子でした。あとはやっぱり、自分の居場所を探している時にプロレスと出会えた経験から、プロレスは人を救えると信じていたのだと思います」

プロレス界から悼む声

花さんの死後、多くのプロレス関係者に取材を申し込んだが、揃って口をつぐまれた。そうした中で、女子プロレス界のレジェンドとも言えるダンプ松本さん(59)ら3人のレスラーが応じてくれた。

ダンプ松本さんは、10代の花さんがプロレス会場で響子さんを手伝う姿を見てきた。響子さんの個人グッズを売り出す特設売店に、花さんが立っていたのを思い出す。声をかけると、「今、プロレスの学校に行っているんです」と話し、「親子プロレスラーでいいんじゃない。頑張るといいね」と返した。「あいさつがきちんとできて、明るくかわいい子でした」と振り返る。訃報を知り、驚きとともに、花さんの周囲で悲しむ人たちの姿が浮かんだという。

「死んでしまったら悲しむ人がたくさんいると分かれば、死ななくて済んだのかな。でも、つらすぎてそこまで考える余裕がなかったのだろうね。本当に残念。かわいそうでならない」

毒々しいメークに強烈なヒール団体「極悪同盟」のイメージが強いダンプ松本さんだが、電話口の声は優しい。「花ちゃんが悩んでいる時に話したかったな。ネット上のこんなの、気にすんな！って言ってあげたかった」

「ミスター女子プロレス」として知られるレスラー、神取忍さん(55)も、子ども時代の花さんを知る。響子さんについてプロレス会場に来て、控え室で待っている花さんを見た。「親の背中見ながら育っていくっていいなぁと思ったよね」。記憶を呼び起こし、無念をにじませた。「10年、20年、30年……。女子プロレス界を盛り上げたいという思いを背負っていた選手が、命を絶ったということは、すごく残念なこと」

大阪府和泉市で市議を務める覆面レスラー、スペル・デルフィンさん(52)は、自身が運営する「沖縄プロレス」に響子さんが所属していた頃、中学生だった花さんを見てきた。「響子は単身だったので、子どもを一人だけ東京に置いてきてはあかんということで、花ちゃんも一緒に引っ越してきてもらったんです。かわいい子だった」

22歳。楽しいことも幸せなことも、生きていれば、まだまだたくさんあっただろう。

花さんのツイッターの書き込みをたどると、SNSで誹謗中傷を受ける一方で、そのSNSを活用してプロレス団体をどう盛り上げていくかを必死に考えていた様子がうかがえる。ただ、亡くなる2週間前には連日、こうも書いている。

〈SNS推進部ブチョーになったのは良いけど文通したい〉

〈手軽、気軽に送れる活字じゃなくて労力、気持ちを遣った人の字を受け取りたいシ、送りたい〉

明るく振る舞う文面からは分からないが、既にこの時、SOSを出していたのだろうか。

誹謗中傷は「スープに入ってきたハエ」

木村花さんが亡くなった5月23日、SNS上では、中傷書き込みの責任の重さを巡って、議論が渦巻いた。そんな中、ある投稿が目に留まった。

〈悪口や中傷に傷つく人はSNSは向いてない、そうじゃない。SNSに向いてないの平気で人を傷つける人。ネットにはルールとマナー、そして人権がある。言論の自由は何してもいい訳じゃない、それは言論の無法。最初に言論の責任がある。命を離すまでどれだ

け悩み苦しんだか、もう悲しくてやるせない。〉

傍観者の目線ではない、ひときわ強いメッセージ性と説得力を感じた。ネット上で「殺人関与」などのデマに長年苦しめられた経験があるお笑い芸人、スマイリーキクチさん（48）の投稿だった。すぐに連絡をとり、インタビューに応じてもらった。

新型コロナウイルス禍のため、オンラインで対面したスマイリーさん。花さんが亡くなったことをどう受け止めたのか。改めて聞くと、言葉を選びながらこう答えた。

「ネット上の誹謗中傷への悩みがあったと聞いて、一人で抱え込んでしまったのかもしれない、と思いました。言葉が刃物のようになって心に突き刺さり、命を絶つまで彼女を追い詰めてしまったのかもしれない、と」

「言葉は刃物になる」。重い言葉だった。

「本当に誹謗中傷が原因だったとしたら、こういう事態が起きないように活動してきた者として、非常に残念で悔しいです」

スマイリーさんはさらに、こう続けた。

「彼女のインスタグラムやツイッターには、誹謗中傷だけでなく、応援メッセージもたくさんありますよね。でも、自分も経験したから分かるのですが、『スープに入ってきたハエ』

と同じなんです」

目の前に出されたスープにハエが入ってしまったら、スープ全体の量からすればたとえ小さなハエであっても、どうしても気になってしまう。中傷から逃れられない心情を分かりやすい例えで説明した。

デマから炎上、そして殺害予告

誹謗中傷を受けた経験者として、スマイリーさんのもとには多くの芸能人らが相談に来るという。木村さんの件についても「何か救う手立てはなかったのか、という気持ちもあります」と無念そうに語った。

自身の体験は壮絶なものだった。

〈事実無根を証明しろ、強姦の共犯者、スマイリー鬼畜、氏ね〉

〈ネタにしたんだろ？犯罪者に人権はない、人殺しは即刻死刑せよ〉

〈生きる資格がねぇ、レイプ犯、早く死ね〉

1999年夏。当時SNSはまだ普及しておらず、誹謗中傷の舞台は「2ちゃんねる」などネット上の匿名の掲示板だった。「10年前に東京都足立区で起きた女子高生コンクリート詰め殺人事件の犯人」という、いわれのないデマに基づいていた。スマイリーさんが足立区出身で、事件の犯人と同世代ということ以外、何の根拠もない。書き込んだ者のほとんどが、「少年法により名無し」という匿名のハンドルネームを使っていた。

所属事務所のホームページで、事件への関与と「事件を（お笑いの）ネタにした」といううわさを否定したが、誹謗中傷は収まるどころかさらに広がった。

「当初は、正直ショックでもなくて、『なんとばかばかしい』ぐらいに思っていました。ネットをほとんど使っていなかったので、見なければ知らない問題でもあった」

スマイリーさんは、当時をそう振り返る。

だが、「実害」が出始めた。仕事先にも嫌がらせが入るようになったのだ。出演していた番組やCMスポンサーに「殺人犯は出すな」との抗議が寄せられ、お笑いのライブでも客がヒソヒソうわさするようになった。

さらに、家族や恋人にまで、被害が広がった。

〈家族の情報を知っていたら教えて〉

〈家族も見つけ次第殺す〉

ネット上の投稿は、個人情報を探り出す動きになり、殺害予告もあった。〈彼女がいたら乱暴しよう〉という内容もあった。そして、ある書き込みに戦慄《せんりつ》した。

〈近所でスマイリーキクチをみた〉

〈おんなといた。多分あれ彼女だぜ〉

〈この店　〇〇〇〉

実際、恋人と当時よく行っていた店だった。

「身近にいる。家族も恋人も、町を歩いていたら確実に何かされる。時間の問題だ」

そう考えると、怖くなった

姿の見えない相手が、自分を殺人犯だと思い込み、無数の嫌がらせを送っている。誰が、何の目的で？

「疑問で頭がいっぱいになり、自分が言葉で人を殺すゲームのキャラクターにされたようにも感じました」

さらなる「炎上」要因もあった。ネット上の検索エンジン「Ｙａｈｏｏ！」で、質問を送ったり回答したりできる「Ｙａｈｏｏ！知恵袋」。２００８年3月、ある質問が載った。

〈「○○」という本を読みましたら、「○○（スマイリーさんのデマが流れた事件名）」の主犯格のひとりがお笑いコンビを結成し、芸能界デビューをしているという事実が書いてありました。そのお笑い芸人とは誰なのでしょう？〉

質問に対する回答の「ベストアンサー」にはこんな回答が選ばれた。

〈スマイリー菊地という芸人ですがピン芸人ではなかったかな。本人の事件関与については謎です。〉

この○○という本は実在する。「元警視庁刑事」を名乗り、ワイドショーでコメンテーターとして活動していた男性の著書だった。質問に書かれた記述もあった。

この書き込みをきっかけに、スマイリーさんの名前とデマはさらに拡散された。

警察は血では動くが字では動かない

炎上が続き、スマイリーさんは警察に相談したが、何十人もの警察官に笑われたり、ばかにされたりした。「殺されたら捜査してあげるよ」とも言われた。

「殴られたら血が出るという実害が見えるけれど、誹謗中傷による『心のけが』は第三者から見えないんですよね。警察は血では動くけれど、字では動いてもらえない、と思いました」と振り返る。

そのうち、警察を含め相談した人たちから「あなた頭おかしいよ」「ネット上の言葉を一番信じているのは、あなただよ」と言われるように。味方と考えていた警察まで敵に見えてきた。「俺がおかしいのか？」。自問自答の日々が続いた。

弁護士にも相談すると、「必要な経費は200万円」と言われた。当時のスマイリーさんには、簡単には出せない大金だった。「プロバイダが発信者の情報を開示しなければ、最高裁までいく可能性がある」とも言われた。

解決の糸口が見つからず、袋小路に入ったが、諦めるわけにはいかない。

スマイリーさんには「二つの許せないこと」があった。一つは、スマイリーさんや家族、周囲の人たちにも殺害予告が届いていたこと。「死んだら許してやる」という書き込みが山ほどあった。だからこそ、「生きて身の潔白を晴らす」という思いが強く心の中にあった。「『死ね、死ね』とたくさん書き込まれて本当に傷ついたけれど、逆に生きることが仕返しだと思った。思いっきり幸せに生きてやる、と」

もう一つは、勝手に犯人だとされた殺人事件の被害者を、冒瀆《ぼうとく》する書き込みもたくさんあったことだ。「『死人に口なし』とばかりに書き込んでいて、心から許せなかった」

諦めずに警察への相談を繰り返した結果、信頼できる刑事と出会う。2008年夏から捜査が本格化。翌年3月までに、中傷を書き込んだとされる男女19人が名誉毀損《きそん》容疑などで摘発され、うち7人が書類送検（いずれも後日不起訴処分）された。「ブログ炎上　初の摘発」「ネット暴力に警鐘」といった見出しが新聞各紙に載った。

「ガラケー女」に間違えられて

誹謗中傷の被害者となるのは、著名人だけではない。多くの人がインターネットで広くつながっている時代。誰であっても突然、匿名による卑劣な攻撃にさらされる危険性はある。

「ガラケー女」という言葉が盛んに飛び交う事件があった。

2019年8月、茨城県の常磐自動車道で、後方からあおり運転をした男が、相手の車を停車させ、運転席の男性を殴ってけがをさせた事件だ。男が暴行を加えた際、「ガラパゴス携帯」と呼ばれる折りたたみ式の携帯電話を持つサングラス姿の女性が、笑いながら暴行の様子を撮影していたのだ。「ガラケー女」と名付けられたこの女性の姿を収めた動画がSNSで拡散され、テレビのニュースでも繰り返し報じられた。男の粗暴ぶりもさることながら、男と同乗していた非情な「ガラケー女」にも世間の関心が集まった。

事件から1週間後、お盆の終わりの週末だった。東京都内に住む30代女性は午前6時ごろ、枕元に置いたスマートフォンの着信音で目が覚めた。早朝にもかかわらず、電話とメールが鳴り止《や》まない。寝ぼけ眼《まなこ》で手に取ると、知らない電話番号や番号非通知の着信が大量に表示されていた。その中にあった友人からのメッセージを見ると、「ネットに情報がさらされている」という知らせだった。

添えられていたアドレスをクリックして、飛び起きた。

あるウェブサイトに自分の名前や顔写真が掲載されていた。〈犯人だ〉という言葉も目に飛び込んできた。女性があおり運転事件の「ガラケー女」だという指摘だった。

全く身に覚えがない。サイトは、事件などに関する情報を集積した「まとめサイト」と呼ばれるブログで、〈捕まえろ〉〈自首しろ〉と責め立てる言葉が並んでいた。

知らせてくれた友人からは、SNSで否定するよう勧められたものの、焦りと混乱で何を書けばいいのか分からない。女性は当時、事件についてあまり関心がなく、サイトで自分の写真と一緒に並べられた加害者の男が誰なのかも分からなかった。

女性が個人経営する会社のウェブサイトが画像として出回っていたため、会社に電話やメールが殺到し、転送先のスマートフォンに届いたのだった。女性のインスタグラムにも「早く自首しろ」などという書き込みが相次いだ。匿名で利用していたにもかかわらず、なぜか女性のアカウントだと特定されていた。人違いだということを発信しても、〈そんなことを投稿する暇があるなら、早く警察に行け〉というコメントがつき、さらに炎上した。やがて〈詐欺師〉〈ブス〉などと、事件とは無関係の中傷も交じるようになった。


幸い、翌日に、あおり運転の加害者の男と「ガラケー女」は傷害や犯人隠避などの疑いで逮捕され、SNS上の攻撃は一気に収束した。しかし、約2日間で、不審な電話の着信は約300件に上り、インスタグラムに届いたダイレクトメッセージは1000件を超えた。ツイッターの中傷投稿は、代理人の小沢一仁弁護士（東京弁護士会）が確認しただけでも100件以上のアカウントから届いていた。リツイートを含めると、その何倍もの人が誤った情報を拡散したとみられる。

誤認された理由はこう推測される。女性は匿名でインスタグラムを利用していたが、趣味の旅行や食事のほか商品紹介などで注目され、フォロワーが約1万人もいた。加害者の男もその一人で、そのつながりから男の交際相手と一方的に決めつけられたとみられる。インスタグラムは一方的にフォローが可能で、女性はフォローされていることも知らなかった。

まとめサイトに載せられた女性の写真は、一緒に写っている友人がフェイスブックに掲載した写真を切り取ったものだった。事件当時の「ガラケー女」の服装と似た、帽子とサングラスを着けた写真も出回った。匿名のインスタグラムのアカウントから、どうやって実名のフェイスブックにたどり着いたのかは、その後も謎だ。ちなみに女性は、「ガラケー」は使っていない。

あおり運転関与の男女が逮捕されたと伝わると、インスタグラムやツイッターには、謝罪の言葉が届くようになった。目立ったのは「デマを信じて暴言を吐きました」と釈明する内容のもの。しかし、女性は「デマを信じることと、暴言を発信することは全然違う。許されないでしょう」と憤る。「すみませんでした」という言葉の後に絵文字を付けてくる人もいた。自身の痛みに比べ、あまりの「軽さ」に驚いた。お詫びのメッセージを送ってきた後、アカウントを消して逃げる人もいた。

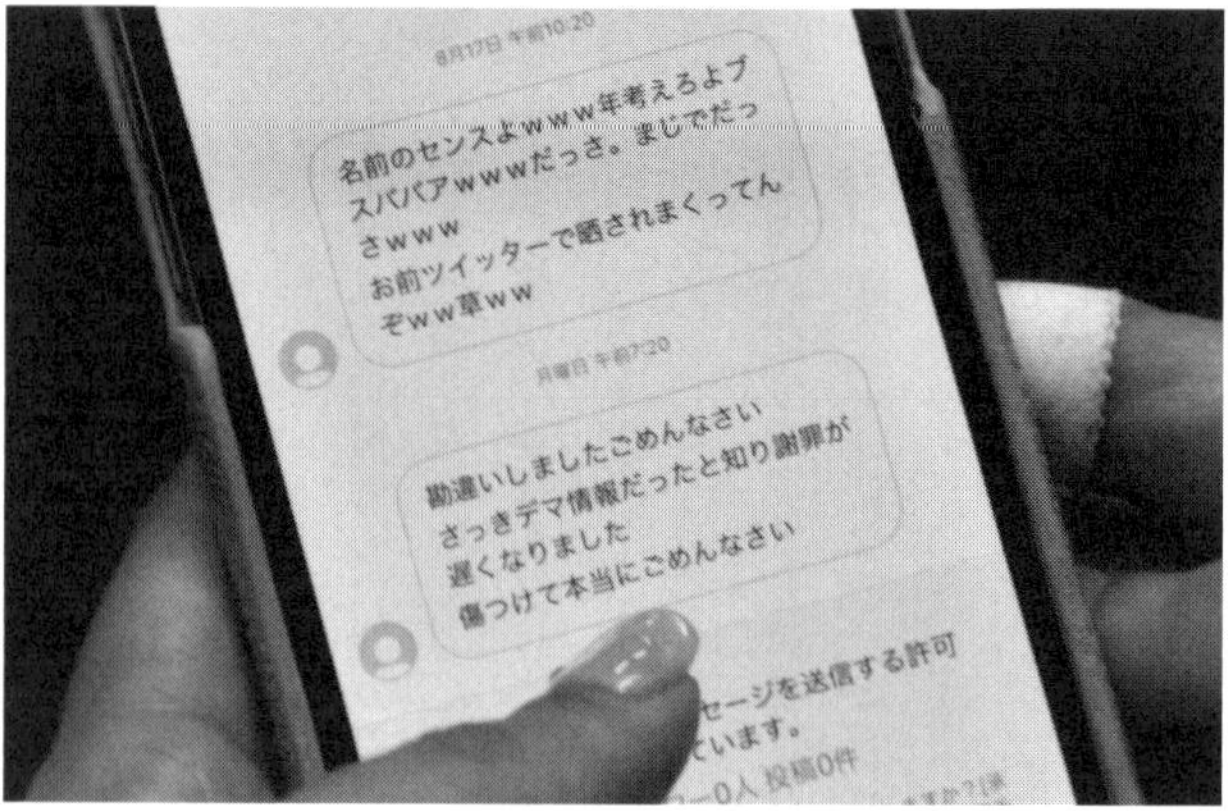

「ガラケー女」に誤認された女性には、容疑者逮捕の直後には一転して謝罪のメッセージが届いた＝東京都内で、五味香織撮影

約1週間後、女性と小沢弁護士は東京都内で記者会見した。中傷投稿した人物に対し、損害賠償請求や刑事告訴をすると明らかにした。損害賠償請求の準備のため、ツイッター社やSNS事業者に対し、発信者情報の開示請求を始め、小沢弁護士は「請求対象は百件単位の規模になる」と話す。

自ら名乗り出て来た人とは和解に応じているが、「普通の人」が多かったという。未成年から年配者まで年齢層は幅広く、住んでいる地域も全国各地に及んだ。子どもに代わって平謝りする保護者、「家族に知られて肩身が狭い」と連絡してくる男性……。幼い子どもを持ち、普段は「良いママ」として暮らしていそうな人もいた。

一方で、女性が訴え、判決が出たケースもある。愛知県豊田市議（当時）の50代の男性は、自身のフェイスブックに、女性の写真を転載し、「早く逮捕されるよう拡散お願いします」などと投稿。２０２０年8月17日、東京地裁は、男性の投稿が「原告（女性）の社会的評価を低下させる」として、男性に33万円の支払いを命じる判決を言い渡した。ネット中傷に振り回された「激動の日」から、ちょうど1年を迎える日だった。

木村花さんが亡くなったことが報じられた後、女性はある友人に「同じようなことをされたんだよね。生きていてくれてありがとう」と言われた。改めて、自身の被害の大きさを実感した。その一方で、ネット上には、引き続き匿名による悪意が渦巻く。事件や裁判に関連する報道が出る度、ＳＮＳ上には〈謝っているんだから許してやれよ〉〈しつこい女〉〈金の亡者〉などの心ない中傷が相次ぐ。

ネット中傷問題では、被害者本人だけでなく、代理人になる弁護士に火の粉が降りかかることも少なくない。小沢弁護士も一連の事件対応に関連し、ＳＮＳ上で身の危険を感じるような中傷を受けたり、画像を面白おかしく加工されたりしたという。

「被害を受けるリスクを考え、ネットトラブルの訴訟を引き受けたがらない弁護士もいると思います」

小沢弁護士はそんな被害の「象徴的な事例」として、次に登場する弁護士の名前を挙げた。

100万回の殺害予告を受けた「炎上弁護士」

「何だ、これ」。2012年3月、東京都内の沖縄料理の居酒屋。知人らと和やかに食事をしていた唐澤貴洋弁護士（第一東京弁護士会）は、携帯電話の画面を見て衝撃を受けた。匿名掲示板「2ちゃんねる」に、自分を中傷する投稿があふれていたのだ。そこから100万回に及ぶ殺害予告など5年にわたる壮絶な被害が始まった。ネット中傷の問題に取り組む弁護士ら関係者の間で、唐澤弁護士を知らない人はいない。

発端は、2ちゃんねるに成績表をさらされるなどした少年から依頼を受け、掲示板に唐澤弁護士の実名入りで削除要請の書き込みをしたことだった。当時は削除要請や発信者情報開示の依頼は掲示板上で行うことになっており、内容がすべて公開された状態だった。唐澤弁護士は名前を出していたため、標的になったとみられる。

削除要請をして数時間後に掲示板を確認すると、既に「炎上」が始まっていた。今後の仕事のためにとツイッターでフォローしていた著名人の中にアイドルの女性が含まれていたことから、〈ドルオタ（アイドルオタク）だ〉と揶揄《やゆ》するようなコメントが相次いでいた。「荒れている」ことに唐澤さんは危機感を覚え、とりあえずツイッターを鍵つきにして見えないようにした。すると、掲示板では〈本人が見てるぞ〉とさらに盛り上がり、投稿が止まらなくなった。

内容は数週間の間にどんどんエスカレートした。そのうち、唐澤弁護士の名前や事務所名を検索エンジンに入力すると、検索予測に「犯罪者」「詐欺師」などの言葉が出てくるようになった。掲示板上では、唐澤弁護士の名前とネガティブな言葉を組み合わせて繰り返し投稿することで、検索エンジンのサジェスト（予測変換）ワードを作りだそうとする動きがあったという。いわゆる「サジェスト汚染」だ。この状態が続けば、弁護士としての信用を失い、仕事にも影響する。そう考えた唐澤弁護士が法的手段を講じようと発信者情報開示の依頼をすると、さらにそれがネタになり、収拾がつかなくなった。

やがて被害は現実世界へ

連日の誹謗中傷は、唐澤弁護士を精神的に追い込んだ。インターネットを見ないようにしようとしても、掲示板などで何が書かれているか気になり、どうしても確認してしまう。見ていない時でも何か悪いことが起きているのではないかと不安で、夜もよく眠れなくなった。頻繁に悪夢にうなされ、感情の起伏もなくなった。少しでもその苦しさから逃れようと、強くもない酒を毎晩あおった。

最初の投稿から4カ月ほどたった頃、ついに殺害予告が書き込まれた。

〈8月16日、五反田で唐澤貴洋を殺す〉〈ナイフでめった刺しにする〉

具体的な日時や事務所を構えている場所、手段まで指定する内容で、今までの誹謗中傷とは明らかに次元が違う。唐澤弁護士は振り返る。

「ぞっとしました。『殺す』という言葉はすごく重い。その上、匿名なので誰が言っているかも分からない。それは恐怖でしかありません」

身の危険を感じて警察に相談したが、当時は警察もネット上の脅迫に対し、犯罪という認識が薄く、捜査には時間がかかった。

その間もさらに追い詰められ、生活は一変した。

「いつどこで危害を加えられるか分からない」とおびえ、行動パターンを把握されないよう自宅に帰るルートを毎日変え、背後に人がいないか常に気にするように。密室を恐れ、エレベーターではなるべく見知らぬ人と同乗しないようにした。疑心暗鬼が深まり、人の多いところに出かけることも、仕事で人と会うことも負担に感じ、避けるようになったという。


被害はさらに広がり、家族や、現実世界にも及ぶようになった。両親の名前や実家の住所が特定されてネット上にさらされ、それをきっかけに実家周辺の写真や実家の登記簿までアップされた。実家近くの唐澤家の墓に白いペンキがかけられ、墓石に唐澤弁護士の名前「貴洋」が書かれたこともあった。そしてその写真も投稿された。

実は唐澤弁護士には一つ年下の弟がいたが、高校生の時に不良グループから恐喝まがいのことをされて集団リンチに遭い、それを苦に自殺している。弟を救えなかったという無力感が、「法を武器に悪と闘いたい」と弁護士を目指すきっかけになったという。弟が眠る大切な場所が汚されるのは、耐えがたいことだった。寺に迷惑をかけたとお詫びに行った帰り道、涙がこぼれ落ちた。

さらに弁護士事務所にも「実動部隊」が嫌がらせに来るようになった。郵便受けに生ゴミを入れたり、鍵穴に接着剤を詰められたり、唐澤弁護士の後ろ姿が盗撮されてネットに投稿されたりと、ありとあらゆる実害を受けた。このため、事務所は3回も移転を余儀なくされた。さらにグーグル・マップを改ざんして、皇居や警察庁を唐澤弁護士の事務所名に書き換えたり、唐澤弁護士になりすまし、ある自治体に爆破予告したりする者まで現れた。

「当初は実害の矛先は私やその周辺に向いていたのに、だんだん私というネタを利用して『社会を巻き込んで面白いことをしよう』という方向にエスカレートしていきました。完全に愉快犯です」

被害が落ち着いても消えない恐怖心

警察が集計したところ、殺害予告の投稿は約100万回に及んだ。唐澤弁護士によると、海外のネットメディアが出所と思われる「殺害予告をされた件数の世界ランキング」では、1位が世界的人気を誇るカナダの歌手のジャスティン・ビーバー、2位が唐澤弁護士、3位がジョージ・W・ブッシュ元米国大統領――となっているといい、件数の異様さがうかがえる。

2014年5月以降、唐澤弁護士に殺害予告や爆破予告をした人物など10人以上が脅迫容疑などで逮捕または書類送検（一部が不起訴処分）された。しかし、その後も同様のネット中傷や悪質な嫌がらせは続いた。17年夏には、歌舞伎俳優の市川海老蔵さんの妻・小林麻央さんが亡くなった時、唐澤弁護士になりすました人物がツイッターに〈姪が亡くなりました〉などとデマを投稿し、大炎上。ツイッター上で〈親族でもない人間が勝手なことを言うな〉などといわれのない非難を受けた。

唐澤弁護士は18年に、長年にわたる壮絶な経験を綴《つづ》り、『炎上弁護士』とのタイトルで書籍を出版。「100万回の殺害予告に立ち向かった弁護士」としてテレビ番組にも出演し、頼まれれば学校などで体験を話すこともある。

被害はここ2～3年は落ち着き、表向きは立ち直ったように見えるが、唐澤弁護士は「今も恐怖心から逃れられない」と明かす。しつこく後をつけられた経験から常に人の視線が気になる。自宅などが特定されないよう、近距離移動でもタクシーを使う。仕事上、人に会わざるを得ないが、初対面の時はとても緊張するようになった。

ちょっとした相手への否定的な感情や遊び感覚で「着火」され、ネット特有の拡散力によって燃え上がる「炎上」。行為に関わる人たちの軽さとは裏腹に、命を絶つほど精神的に追い込まれたり、長年にわたり身の危険を感じておびえたり、被害者が受ける被害はあまりに重大だ。法律的根拠もなく個人に制裁を加える「私刑」とも言える。炎上という現象の周辺にはどんな人たちがいるのか、どんな心理で関わるのだろうか……。

第2章　加害者たちの正体

炎上は毎日3件のペースで起きている

匿名による批判が集中して燃え上がり、周辺から燃料が投下されると、炎はさらに大きくなっていく――。ネット上の「炎上」という現象はイメージはしやすいが、厳密にはどういう意味なのだろうか。

炎上について研究する吉野ヒロ子・帝京大学准教授（ネットコミュニケーション論）は海外の論文を引用し、「大量の批判、侮辱的なコメント、罵倒が、個人や組織、集団に対して行われ、数千または数万の人々によって数時間以内に伝播されるもの」と説明する。国内最初の炎上は、1999年に東芝の社員がビデオデッキの不具合を訴える顧客に対し「クレーマー」と発言する音声がネット上で公開されて騒動になった「東芝クレーマー事件」とされる。

ウェブ上のリスク対策を手がける「シエンプレ」（東京都中央区）が運営する「デジタル・クライシス総合研究所」が、ツイッターやフェイスブック、2ちゃんねる、個人ブログなどを対象に、「炎上」というキーワードで投稿を収集・分析したところ、2019年1～

10月に計966件の炎上事案が確認できたという。毎日3件も起きていると考えると、なんだか恐ろしい気がしてくる。

「死ね」「消えろ」……。多くは、直接の利害や人間関係に基づく憎しみはないのに、相手の人権、人格を壊すような言葉が並ぶ。対面ではよほどの状況でない限り使わない暴力的な言葉ばかりだ。一体どんな人が発しているのだろうか。

私も怒りを直接伝えなければ…

木村花さんは、ネット上にあふれる誹謗中傷に、深く悩んでいたとされる。加害者側はどのような気持ちで書き込みをしたのか。花さんが亡くなった今、どう感じているのか――。どうしても直接話を聞いてみたかった。しかし、取材に応じてくれる人を探すのは容易ではなかった。複数の記者で手分けし、相談を受ける弁護士や団体を回って紹介を頼んだが、うまくいかない。即座に「無理」と断られたり、取り次ぎを試みてもらえたものの、加害者側から「もう忘れたい出来事なので」と拒否されたりした。

本格的に探し始め、2カ月ほどたった2020年8月初旬、「木村花さんを中傷してしまった」という40代の女性に話が聞けることになった。娘を失った悲しみや怒りを綴った花さんの母響子さんのインタビュー記事などを読み、「申し訳ないという気持ちを少しでも伝えられたら」と取材に応じることを決めたという。

女性は関東地方で両親と暮らし、アルバイトをしている。女性の希望で電話での取材になったが、てきぱきとよどみのない語り口で、冷静でしっかりした印象を受けた。

女性は昨年から、花さんが出演していた番組「テラスハウス」を視聴するようになった。職場で「面白い」と話題になっていたため興味を持ち、見ているうちに男女の恋愛模様や人間関係の変化などが面白く、「はまってしまった」という。花さんに対して当初は、「料理もできて、きちんとあいさつもするとてもいい子」と好印象を持っていた。

イメージががらりと変わったのが、第1章で紹介した「コスチューム事件」だ。3月末のネット配信でそのシーンを見た時、言いようのない怒りと不快感が残った。花さんに帽子をはたき落とされた男性は、以前、花さんに優しく対応していた。そもそも、コスチュームを洗濯機に置き忘れたのは花さんに非があるのに、あの態度はないだろう――。そんな思いが渦巻いた。これをきっかけに花さんへの嫌悪感はどんどん膨らみ、以降の番組で花さんが登場する度に顔をゆがめてしまう自分がいた。

すっきりしない思いが続いていたが、怒りの導火線に火がついたのは、5月にコスチューム事件関連の未公開映像がユーチューブで配信された時だ。映像を見て、花さんが自分の行為を反省していないように見えた。ツイッターを見ると、花さんへの批判的な書き込みがあふれていた。自分と同じように怒りや疑問を持っている人が大勢いると感じた。「私も何か木村さんに直接伝えなければ」

これまでSNSを利用したことがなかったが、映像を見た2〜3日後の5月中旬、初めて匿名のツイッターアカウントを作成した。そして中傷するコメントを花さんのツイートへの返信として書き込んだ。「怒りが少し収まった気がした」。他の中傷したアカウントから「いいね」がつくとうれしくなり、そのアカウントの書き込みにも「いいね」をつけた。「今思うと変な正義感でした」。最初のイメージが良かったので、「コスチューム事件」で裏切られたような気持ちがあり、「木村さんに何とかその態度を改めてほしいと書き込んでしまいました」。当時、新型コロナウイルスの感染拡大による自粛生活で、近所から聞こえる夜間の騒音や仕事の先行きの不安からストレスもたまっていた。

約1週間後の5月23日、花さんが亡くなったというネットニュースを見て衝撃を受けた。

「まさか……と。本当に怖かった。私はなんてことをしてしまったのだろう、すごいひどいことをしてしまったのかもしれないって。恐怖と後悔でいっぱいでした」

女性は声を震わせながら当時の心境を振り返った。ニュースでアカウントが特定されれば損害賠償請求される可能性があると知り、その日のうちにアカウントを削除したという。暗闇が怖くなり、夜も眠れなくなった。気になって、花さんに関するニュースはすべてチェックした。

その後、テラスハウスで過剰演出の疑いがあることを知った。

「いい大人が恥ずかしいですが、番組はリアルだと信じ込んでいました。だからこそ木村さんの態度が許せなかった。もちろん中傷した側が一番悪いのですが、もし過剰演出が本当であれば、私や他の中傷した人たちもあおられた部分はあるのかなと思います」

テレビ局側にはこの問題をうやむやにせず、きちんと向き合って対応を考えてほしいと思っている。

一方、花さんには申し訳ないという思いが日に日に募る。

「お母さんや、周囲の人たちのインタビューなどを見て、やっぱりすごくいい子だったんだなと改めて思いました。本当にごめんなさいという気持ちでいっぱいです」

今はＳＮＳを利用する気にはなれないという。

相談に寄せられる二つのパターン

間接的ではあるが、他にも木村花さんへの中傷に関わった人の声が入ってきた。

〈花ちゃんの命を奪ってしまったかもしれない〉

〈死に追いやってしまった〉

〈苦しいです〉

「望まない孤独を根絶する」をスローガンにさまざまな相談に応じるＮＰＯ「あなたのいばしょ」（東京都港区）には、花さんの死後、花さんに対する誹謗中傷を書き込んでしまったというチャットによる相談が、７月初旬までに10件寄せられた。相談者は10代から30代の男女で、うち８件は10代の女性だった。

代表の大空幸星《こうき》さん(21)は、相談には二つのパターンがあったと分析する。一つは、花さんを傷つけるつもりはなかったのに、罪悪感にさいなまれる心境を吐露したものだ。

〈もっとこうした方がいいよ、という気持ちで書き込んだ〉

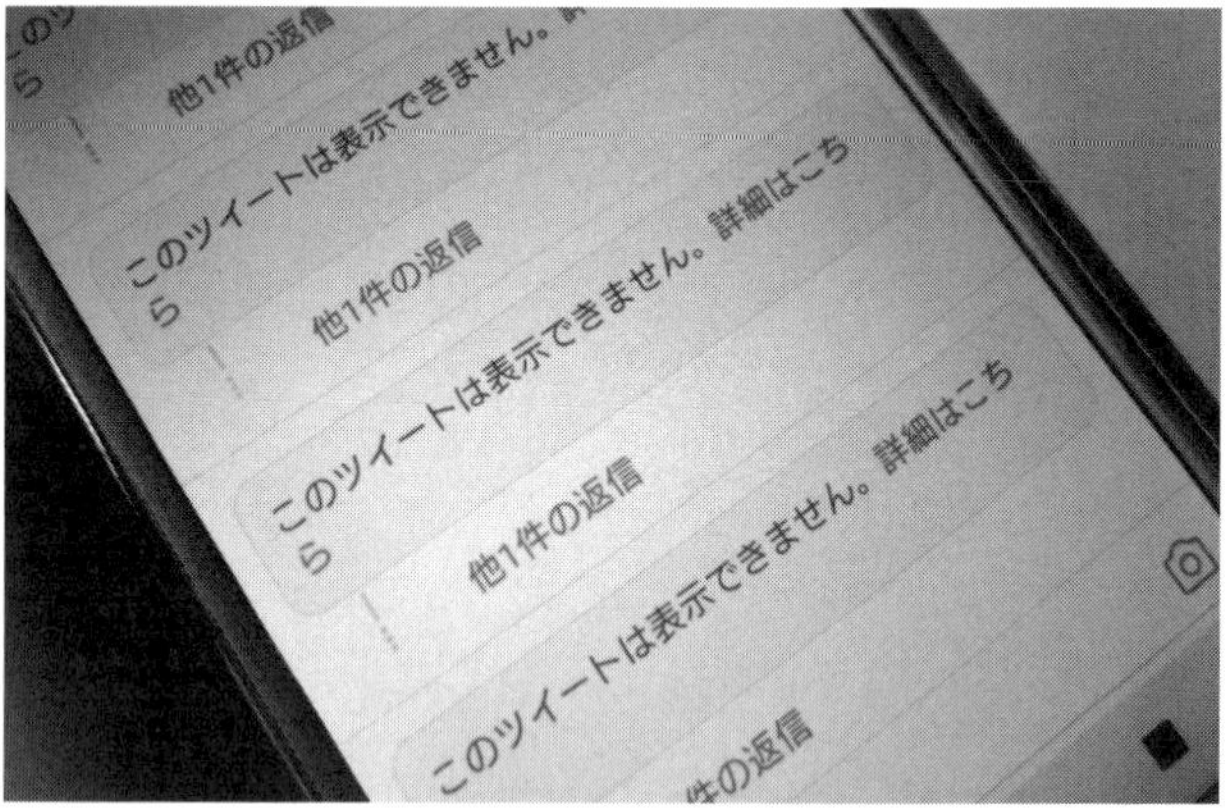

木村花さんの死後、ツイッターアカウントからは、中傷とみられる投稿が次々と削除されていた＝五味香織撮影

〈誹謗中傷だったのかも〉

〈誰にも話せなかった〉

〈私は生きていいのかわかんない〉

花さんへの中傷は、出演していた番組の演出にあおられた側面もある。大空さんは「この相談をしてきた人も、苦しいのだと思います」と話す。こうした相談に対し、チャットの窓口では「してしまったこと」を否定も肯定もしない。ただ、ひたすら相手の話に耳を傾け、気持ちを吐き出してもらう。

二つ目は、花さんを傷つけたという加害の自覚がはっきりとあり、責任追及を恐れるものだ。

〈死に追いやった。情報開示されて人生終わるかな〉

〈あり得ないと思って、悪口言った。同じこと言っている人たちもいたから書き込んだ。逮捕されますか〉

〈逮捕されるのが怖い〉

こうした相談に、ある相談員は「後悔している気持ちがあるならば、その気持ちを大事に」と返した。それでもなお、「逮捕」を恐れる言葉が寄せられた。

「相談してくる人にいずれも欠けていると思うものは、想像力です。変な正義感から書き込んだコメントに、相手がどれだけ傷つくのかを想像できていない」

大空さんはそう指摘する。さらに、責任追及におびえる相談者を思いやる。

「背景には、友達関係や家庭環境に深刻な問題がある人たちもいます。加害した側を追い詰めるのではなく、彼ら彼女らが抱えるものも想像してほしい」

法律事務所にも、花さんへの投稿に関する相談が寄せられた。インターネット上の誹謗中傷の問題に詳しい甲本晃啓《あきひろ》弁護士（第一東京弁護士会）が、相手に了解を得たうえである人の相談事例を教えてくれた。

「『みっともない』といった批判的なツイートをしてしまった」

この人は、花さんが出演した番組を見ながら、リアルタイムでSNS上に感想を書き込んだという。

「感想をそのまま書いたので、悪いとは思わなかった。（花さんは）すごく強い人だと感じたので、これぐらい書いても大丈夫と思った」と振り返り、「結果があまりにも重すぎるので、自分が加担したとすればものすごく申し訳ない」と語ったという。

甲本弁護士は「罪悪感から、自分の中で何とか解決したいと、相談してきたのだと思う」と話す。疲れた様子だったが、服装や言葉遣いに乱れのない「ごく普通の人」だったという。

中傷「加害者」に直撃

木村花さんの事例以外でも、誹謗中傷の書き込みをした経験があるという男性が、取材に応じてくれた。近畿地方在住の20代の会社員。被害者側から発信者情報の開示を求められているという。7月初旬、オンライン会議システムを通じて詳しく話を聞いた。

画面の向こうの男性は、黒いTシャツ姿でマスクを着けていたが、目元はにこやかだ。「攻撃的な言葉を浴びせられるのでは」と緊張していた記者は、肩すかしを食らった気がした。

「初めまして。えっと、どこから話せばいいですか」

少しぎこちない様子ながら、こちらの顔をしっかりと見て意向を確認する。年相応の社会人経験を積んでいることが分かる受け答えで、思いのほか穏やかな雰囲気で会話が進んだ。

自宅で家族と暮らしている。話を聞いたのは平日の昼間だったが、この日は仕事が休みだという。ネットユーザーに「軽い気持ちで書き込んでも、大きなペナルティーを科されることがあるので気をつけて」と伝えたくて、取材に応じたという。

男性にとって衝撃的な出来事が起きたのはその1カ月ほど前だ。自宅にプロバイダ業者から封書が届いた。

「お客様が発信された情報による権利侵害を主張される方から開示請求を受けました。意見があれば2週間以内に回答してください」

書類には、あるネット掲示板への具体的な投稿内容が記されていた。ある人が、プロバイダ責任制限法に基づいて、損害賠償請求を前提に発信者である男性の名前や住所などを開示するよう業者に依頼。業者は男性に対し、開示に同意するかを尋ねる意見照会書を送ったのだ。

男性はそれを見てパニックに陥った。

「確かに僕が書いたものでしたが、まさか、とびっくりしました。ネットと現実は全く別世界という感覚だったので、ネットでどんな汚いことを書いても現実には影響しないと思っていました。それが書類を見て一気につながった気がしました」

問題となったのは2020年春、男性がネット掲示板で見ず知らずの女性について中傷した投稿だ。1カ月の間に数回、繰り返した。

なぜそんな投稿をしたのか。男性の説明はこうだ。

新型コロナウイルスの感染拡大の影響で自粛生活に入っていた時期で、休日は一日中、SNSや掲示板を見て過ごしていた。プライベートの交友関係や仕事のストレスが重なり、いら立ちが募っていたという。

そんな時、掲示板でその女性の容姿に関する投稿が盛り上がり、いわゆる「炎上」の状態になっているのに気づいた。投稿の中には、女性が金銭目的で不特定多数の男性と付き合っているかのような情報があった。炎上してお祭り騒ぎになっているのが純粋に面白いなと感じた。周囲が盛り上がっていたので流れに乗り、勢いで書き込んだという。

「ネットが生活の一部になっていて、投稿することには何の抵抗もないです。『ああ、疲れた』とため息をつくのと同じ感覚。書くことはいちいち考えない」

盛り上がっていれば誰でも中傷するのだろうか。男性は、「自分なりの基準はあります」と話す。不特定多数と付き合っているというネガティブな情報があり、女性はあまり良くない人だと判断したという。

「自分の中でこの人は攻撃していいんだ、というゴーサインが出たんです」

複数回投稿した理由については「女性に興味がわいて、執着してしまった」と語った。

正義感が暴走、職場では笑顔

インターネットには長く親しんできた。家族の影響もあり、掲示板への書き込みを始めたのは十数年前、中学生の頃だ。当時は周囲の同年代で利用している人は少なく、「こっそりたばこを吸うみたいな感覚」で、好きなアニメや漫画について投稿していたという。

一方で、男性は出自や外見などを理由に中高時代にいじめを受けたことがあったと明かした。

社会人になり、そうした生きづらさや居心地の悪さはなくなったというが、今でも仕事や人間関係のストレスが高まると、「はけ口」のように投稿に没頭してしまう。休憩時間や深夜、スマートフォンやパソコンに向かい、ツイッターなどをチェックする。芸能人の不倫報道などの話題で炎上しているところに近づき、その時感じたことを書き込む。

批判されている芸能人を擁護するコメントを投稿したこともある。それに対し、反論や「バカ」などの暴言が返ってくると、我を忘れてかっとなり、全員を言い負かそうとさらに書き込みに没頭するという。

「どうしても許せない、と思うとブレーキがきかない。自分の中の正義感が暴走する感じです」「ネットがなければわざわざ言ったりはしないが、ネットという環境があるから、この人たちを懲らしめたい、という気持ちがわく」

職場では「いつも笑顔で、基本的にあまり自分の意見を言わないタイプ」と自己分析する。会社の飲み会にも参加し、人付き合いも得意な方だ。ただ、本当はいろいろ思うところがあるのに、波風を立てたくないので言えないし、むしろ本当の意見とは違うことを言ったりする。

「葛藤はあります。その分、ネットでは率直に思いをぶつけています」

書くと、すっきりするという。

誹謗中傷の加害者というと、短気で攻撃的な人を想像しがちだが、話しぶりからは少し繊細だが、温厚そうな印象すら受けた。

印象に残ったのは、男性が「自分なりのモラル」という言葉を繰り返したことだ。なりふり構わず攻撃しているわけではないというのだ。

「自分のモラルをもとに攻撃していいか判断している。何も悪いことをしていない人は攻撃しない」と説明し、「死ね、ブスという言葉や、外国人や障害者、亡くなった人をばかにするような発言は許せない。炎上に加担する時でも、自分は見た目に関する中傷や自殺を扇動するようなコメントは決してしない」とも言う。

花さんが急死した件にも自ら触れた。

「僕が言うのもあれですけど、あの中傷はひどいと思う。番組での行為が『死ね』と言われるほどのものかというと、そうは思わない」

インドネシア人の父を持ち、小学校時代にいじめられた経験がある花さんと自分を重ね、「目立ってしまい、悪口を言われることがあるのは分かる」と共感を寄せた。

この男性は、プロバイダ事業者から意見照会書が届いた時、「逮捕されて、実名が報道されるのではないか」と最悪の事態を思い浮かべたという。２日間眠れぬ夜を過ごした後、仕事を休んで弁護士に相談し、「明白な権利侵害はない」として事業者に開示に同意しないと回答した。その後非開示決定の通知が届いたが、今後、被害者側が訴訟を起こせば開示され、さらに損害賠償を請求される可能性もある。

このトラブルをきっかけに、男性はＳＮＳ上の投稿回数がめっきり減り、言葉も慎重に選ぶようになったという。一方、発信者の特定を簡素化する方向で法規制の議論が進んでいることに関し、「どんな投稿でも特定されるようになったら自由に発言できる場所がなくなってしまう」と主張。法規制ではなく、ネット利用者のモラルを向上させることが大事だという。一例として「うっかりよくない投稿をするのを防ぐために、ＳＮＳ事業者が投稿者に対し、事前に『この内容でよいか』と確認を取る仕組みがあればいい」と話す。

後悔や反省はしていないのだろうか。改めて聞くと、「炎上に加担し、情報を精査せず拡散してしまったのはよくなかったと思いますが、悪意があったわけではないです」。

そしてこう続けた。

「最初に被害者をネット上にさらして中傷を始めた人が一番問題だと思うし、うらみを抱かれる被害者にも非はあったのでは」

あくまでも自身は巻き込まれたという認識で、「関わらなきゃよかったという後悔はあります」。最後まで被害者に対する謝罪の言葉はなかった。

炎上弁護士、加害者と会う

「自分を苦しめたのはどんな人物で、何のためにやったのか」

誹謗中傷の被害を受け、その理由を知りたいと自ら加害者と接触した人たちもいる。

第1章で登場した唐澤貴洋弁護士は、複数の加害者を特定し、面会した。本人の了解を得たうえで警察から情報を得て、探し当てたという。見えてきたのは、攻撃的な投稿とは結びつかない、意外な姿だったという。

唐澤弁護士が会ったのは、殺害予告をしたり、事務所に嫌がらせをしたりした人たち数人だ。全員男性で、10～30代の学生やひきこもり。全く面識はなかった。

最初に会ったのは、20歳ぐらいの大学生で、両親も同行していた。父親は堅い会社に勤め、母親はどこにでもいそうな普通の感じの女性。大学生はうつむきがちで口数が少なく、理由を聞くと「面白かったのでやっていました。そんなに悪いことだと思っていませんでした」。過激な投稿を称賛する他のユーザーの反応や、度胸試しみたいな雰囲気が面白かったようだという。

30代の無職の男性は、年老いた母親と事務所を訪れた。ずっとおどおどして「すみません」と言い続け、「理由を聞いてもまともに答えなかった」という。

医学部志望の男性は浪人2年目で、父親が医師。面会は両親も一緒だったが、唐澤弁護士は、父親が自分の息子が問題行為に関わったことについて、どこか人ごとのような態度だったのが気になった。そこで「どういう家庭なんですか」と聞くと、その男性は「父親が怖くて、せきをする音にもおびえて生活している。浪人生で居場所もない。投稿をしているといやなことを忘れられる」と語ったという。

唐澤弁護士は事務所の鍵穴に接着剤を詰められる被害にも遭った。実行したのは10代少年で、その場で警察官に取り押さえられた。唐澤弁護士は被害届を出さなかったが、母親を電話で呼び出し、少年とともに会った。着古したコート姿で現れた母親は、涙を流して謝罪の言葉を述べ、語り始めた。少年は母子家庭で育ち、中学校で勉強についていけなくなり、通信制の高校に在籍していた。常にインターネットを見ていて、母親がやめさせようとパソコンを取り上げたものの、バス代として渡したお金でネットカフェに行き、掲示板に書き込みを続けていた。唐澤弁護士が少年のものとみられる書き込みを確認すると、他のユーザーからあおられて、どんどん過激な投稿をしていた様子が分かった。唐澤弁護士の実家近くの墓を特定して写真を投稿したのもこの少年だった。

殺害予告の書き込みについては事件化され、逮捕された人物にも会った。20代の元派遣社員で、「謝罪したい」と手紙をもらったためだ。殺害予告の相手と会うことになり、唐澤弁護士もさすがに恐怖心を抱いたが、実際に会ってみると「優しそうで繊細な印象の青年」だった。とつとつとした口調で、「投稿に対する反応が面白くてやった。申し訳ない。友達がいなくて孤独で、掲示板に書き込んでしまった」と語った。

直接会うことはなかったが、殺害予告を書き込んだ別の大学生からは、几帳面な文字で経緯や反省を綴った手紙が届いた。「現実逃避のためにネットに夢中になり、掲示板を利用するようになった。最初は唐澤さんへの中傷の書き込みを眺めているだけだったのが、人を傷つける凶悪な言葉を繰り返し目にするうちに感覚がまひし、いつしか自分も傷つける側になっていった」などと経緯を説明。殺害予告については「ネットのコミュニケーションの一つ」という言葉で表現し、「唐澤さんがどんな気持ちになるかは考えなかった」と書かれていた。

ネットは居場所、孤独で罪悪感乏しく

複数の加害者と面会した唐澤弁護士は、「正直、拍子抜けした」と明かす。

相手が開き直って何か主張してくれれば怒鳴り合うぐらいの覚悟はできていたが、「みんなすんなりと謝るんです。私に恨みがあったり、こだわりやドロドロした感情を抱いていたりする人はいませんでした」。

彼らに共通するのは、コミュニケーション能力が低く、周囲に理解者が少なく孤独、罪悪感が乏しい――という点だった。

「彼らにとってインターネットは居場所だったんだ」。加害者との面会を通じ、唐澤弁護士はこう考えるようになった。掲示板はある種のコミュニケーション空間で、疑似的な「仲間」がいる。過激な内容のネタを随時投稿することによって、会話が盛り上がって関係が円滑になり、居場所が保たれる。それが彼らの自己確認、存在証明の場になっている――というのだ。

「テーマや攻撃の対象は何でもいいわけです。私という人間に興味があるわけでなく、み

んなが知っている共通の『記号』としてネタにされていただけなのだと思います。その証拠に、私への攻撃が落ち着いた後、今度は攻撃していた側の一人が標的にされ、炎上していました。大義があるわけではないのです」

前述した大学生は、手紙の最後に謝罪とともにこう綴っていた。

「弁護士として真面目に仕事をされていただけの方が、大勢の匿名の悪意にさらされることの理不尽さが、今の自分にはやっと分かるようになりました。苦しめられる人から目を背けない大人になりたい」

少し救われた気がした。唐澤弁護士は、居場所をネット空間に求める若者たちの背景にある社会的、構造的な問題にも目を向けるべきだと考えている。

俳優が10代加害者と対話を重ねた理由

テレビや舞台で活動する俳優の土屋シオンさん(28)も加害者と向き合った一人だ。

仕事や趣味、日常のニュースから感じたことを積極的にツイッターでつぶやいていた土屋さん。2020年2月頃から、悪質な書き込みや嫌がらせのようなリツイートが増えた。

〈この4流役者め！！！！！〉

〈四流俳優の死ってドラマ作ろうｗｗ〉

粘着質な相手には〈二度と絡んでくんな〉と返信したが、逆にさらなる「炎上」を招いた。「ウィキペディア」の土屋さんを紹介するページは、「没年月日　2020年3月30日」「死没地　ｔｗｉｔｔｅｒ」などと改変された（現在は削除）。

自身のフォロワーは約3万人。ツイートに「いいね」してくれる人は、本当に自分を支持してくれる仲間なのだろうか？　それとも敵なのか？

「3万人が監視していて、その中に殺人鬼がいるような気がした」

疑心暗鬼に陥り、街で少し視線を向けてきただけの人も怖くなった。

だが、こうした中傷を「スルーせず、向き合いたい」と約10人の身元を特定。驚いたのは、ほとんどが10代だったことだ。「人生これから」という時期。訴訟に持ち込んだり、通っている学校に連絡したりして、退学に追い込むようなことは避けたい。そう考え、電話で直接やり取りすることにした。

「書き込んだのは、なんとなく。理由なんてないです」

中学生から大学生までの男女と話したが、総じて加害意識が希薄だった。

「芸能人はみんな（中傷されることを）我慢しています」「（土屋さんの）イメージ悪くなりますよ」などと、自分のしたことを「正論」のように主張する学生もいた。

土屋さんの電話を受け、「これって、要は訴えたり学校に連絡しないから話せって事ですよね」と、「脅迫された被害者」のように振る舞う人もいたという。

彼らの主張に対し、土屋さんは冷静にこう説いた。

「『なんとなく』『芸能人だから』という理由で奪っていい尊厳なんてないし、『みんながやっているから』というのも違う。それは正しさの証明にはならない。何が正しいか、自分で考えることが大事だ」

ネット上と現実世界を切り分けてとらえている点も気になった。

「ネットの問題をリアルの世界に持ち込まないでください」「母親とか学校とかにツイート見られる方が地獄」。彼らは迷惑そうに反論した。土屋さんは「殴り合いのけんかをすれば、殴られた人の顔も見える。でも、ネット上では殴っている感覚がなかったのだと思います」と分析する。

土屋さんには、ネット上の誹謗中傷に悩んだ末に芸能界を引退した仲間もいて、「ネット上で拡散した言葉で、一人の人生が奪われた。許せなかった」と話す。被害は誰にでも生じ、深刻な結果をもたらす。次第にネット中傷そのものをなくしたいとの思いが強くなった。中傷加害者の若者たちと直接話したのも「大人として、ちゃんと子どもたちと向き合って、すてきな人生を送ってもらいたかった」ためだ。特撮ヒーロー番組に出演した経験もあり、「子どもたちにとっての『ヒーロー』でありたい」との思いもある。

「行動を起こして良かった」と思えることもあった。メールでやりとりした男子高校生から後日、「やりたいことを見つけて、友達もできました」との連絡があったのだ。

「彼らはネット上で他人を見下すことで、人から認められたいのだと感じました。でも、自分の実生活で努力して居場所を見つけてくれて、本当にうれしかった」

属性さまざま　街中でも分からない「普通の人」

ここまで紹介した誹謗中傷の加害事例は、若年層の男性によるものがやや多い印象だが、取材を総合すると、実際は性別や年代はあまり関係ないようだ。

先述した甲本弁護士は、「加害者」からの相談を受け付ける専用サイト「名誉毀損ドットコム」を2016年に開設。年間150～200件の相談を受けているが、年齢層は20

～50代で男女はほぼ同数、職業も無職や会社員、公務員、主婦など幅広い。「ネットユーザーの構成と同じという印象」と話す。

第1章で紹介したスマイリーキクチさんも、警察から中傷を書き込んだ相手の写真を見せてもらったことがある。サラリーマン、主婦、国立大職員、プログラマー、高校生──と属性はさまざまだが、「街中ですれ違っても全く分からないような、ごく普通の顔の人」だったという。暴力的な書き込みと大きなギャップを感じ、「彼らは匿名になった瞬間にこんな言葉を書くのかと。ショックでした」と振り返る。

加害者の男女比の正確なデータはないが、「女性が多い傾向がある」との指摘もある。ネットトラブルに詳しい深澤諭史《さとし》弁護士（第二東京弁護士会）は、ネット上で中傷した側の相談対応や代理人も手がけてきたが、こうした投稿のうち3分の2近くを女性が占め、30～40代が多いという。

「あくまで私が取り扱ったケースですが」と前置きしたうえで、男性は相手から不快なことをされて恨みを抱いて攻撃的な投稿をするケース、女性は他人の良い暮らしぶりなどに嫉妬を抱いて悪意を持つケースが目立つという。最近、女性に特徴的なのは、写真をメインにしたインスタグラムの投稿を巡るトラブルだ。ブランド品を持っていたり、高級マンションに住んでいたりする様子を写真で見ると、それに嫉妬した人が根拠がないまま〈実は中古品だ〉とか〈高級マンションと言うが、部屋は低層階だ〉などと相次いで書き込む。こうした投稿をした理由を聞くと、「他の人のコメントを読み、すごく悪い人だと思った」などと語り、自身の書き込みの違法性を認識できない人が多いという。

多くの相談に乗ってきた深澤弁護士は、誹謗中傷に及ぶ背景の共通点として、「現実社会で感じている抑圧への反動がある」と指摘。誰でもやりたくてもできないことがあり、不満がある。「SNSならやりきれない現実から離れ、我慢しなくていい。だから、攻撃的な投稿に走り、興奮し、快感を覚えるようになるのではないか」と分析する。

被害と加害は表裏一体

中傷に関わる多くは「普通の人」だからこそ、いったん自分のしたことの重さを知ると、罪の意識にとらわれ、深い苦しみに陥るケースも多いようだ。

甲本弁護士によると、相談に訪れる加害者の多くは、被害者側がプロバイダ業者などに発信者情報の開示を請求し、業者からそれに同意するかを問う意見照会書が送られて初めて自身の悪質な行為に気づくという。

相談者の大半が、精神的に不安定になり、何日も眠れない、食事が喉を通らない、仕事に行けない、などと訴える。

「匿名だからと安心して書き込んでいたのに、突然ネット上でしか知らない相手方とつながったことにショックを受けるようです。ひどい場合には自傷行為に走ったり、自殺してしまった人もいました」

甲本弁護士によると、自殺したのは30代のひきこもりの男性だった。命を絶った後、家族が男性あての意見照会書を見つけて、相談に訪れたという。

「自分はとんでもないことをしたのではないか、警察に逮捕されるんじゃないか、と思い詰めて八方塞がりになったようです」

罪悪感にさいなまれる加害者は多い。甲本弁護士のもとには、「死のうと思って、今踏切にいます」「今から自殺します」という電話が半年に1度ぐらいかかってくる。そのたびに「死ぬような問題ではない」と落ち着かせて、後日相談に来るよう説得するという。

多くの事例を扱ってきた甲本弁護士は「経験上、ネットトラブルの背景にはネットへの依存があると感じています」と語る。そのうえで、「交通事故と似ていますが、自ら動いてたくさん発信している以上、誰でも被害者にも加害者にもなる可能性があります」と指摘する。

ネットによる誹謗中傷は、被害者側は言うまでもないが、加害する側も深い傷を負う。

炎上に油を注ぐ特定班とは

人々を加害行為に駆り立て、炎上を過熱させる背景の一つに、「特定班」と呼ばれる人たちの存在がある。ネット上で話題になったり、非難されていたりする人物の個人情報を突き止め、さらす人たちだ。特定班の人たちがもたらす情報によって、新たな「標的」が設定され、炎上が生まれる条件が整えられていく。

〈地下鉄サリン事件と変わらないテロ行為〉

〈傷害罪ではすまない、殺人未遂だ〉

新型コロナウイルスの感染拡大による緊急事態宣言発令下の2020年5月、ツイッター上には激しい非難の言葉が飛び交った。大型連休で東京都から山梨県内へ帰省中にコロナ感染が確認された女性が、PCR検査で陽性判明後に高速バスで都内に戻っていたにもかかわらず虚偽申告していた、と報道された。これをきっかけに女性に対するバッシングが過熱したのだ。

女性の本名や勤務先、顔写真、家族の職業などを「特定」したとする真偽不明の情報が拡散された。これには、山梨県が数日にわたって記者会見を開き、女性の帰省中の行動エリアや女性の実家のおおまかな場所などを発表したことも影響したとみられる。

女性に関する情報をまとめた「トレンドブログ」もネット上に乱立し、東京都内の「勤務先」の電話番号を記載して通報を促すものもあった。女性の勤務先として一方的に名指しされた飲食関連の企業は、ホームページ上に「SNS等における事実無根の情報について」と題した文面をアップし、「当社関係各位に新型コロナウイルス感染者は確認されておりません。（中略）この風評被害に関しては、法的措置も視野に厳正に対応していく」と抗議した。女性の友人と称するツイッターのアカウントも「自分が彼女とバーベキューをした人物だと勘違いされ、職場に多数問い合わせがあったり、親戚の家に無言電話が来たりしている」などと被害を訴えた。

炎上の「燃料」としての役割を果たす「特定班」の正体は何なのか。ジャーナリストの渋井哲也さん（50）は、インターネットでつながる人たちを取材する中で、「特定班」と名乗る複数人と接触した経験があるという。

渋井さんによると、「特定班」が登場するようになったのは2000年頃。インターネットが普及し、「2ちゃんねる」などのネット掲示板の利用者が増えてきた時期だ。

「起源は不明ですが、代表的な活動場所としては『2ちゃんねる』のスレッドの一つ『既婚女性板（通称「鬼女《きじょ》」）』が挙げられます」

特定作業には手間がかかることから、パソコンの前に長時間いる人という意味で、名付けられたが、実際にはなりすましもいて、専業主婦のほかにIT関係者、大学院生も多かったとみられる。

「班」といっても、互いのつながりがあるわけではなく、それぞれが自分が得た情報を成果として投稿していき、集積された情報によって特定につなげる仕組みだ。

対象となるジャンルは、芸能ネタや事件、いわゆる「バカッター」と呼ばれる、悪ふざけ動画を投稿した一般の人など多岐にわたる。芸能ネタでは、タレントの男女のSNSなどをチェック。発信している場所や時間、内容に共通性があれば「交際しているのでは」

などと情報を流す。

　ある女性タレントの投稿したコメントの行頭の文字を拾っていくとある著名スポーツ選手の名前を挙げてメッセージを送っているように読めるとして、この二人が不倫をしているという発信もされて話題になった。また、白紙撤回に追い込まれた東京オリンピックのエンブレムについては、ネット掲示板などでデザイナーの盗用疑惑が次々に指摘された。

　社会をにぎわす大きな事件では、容疑者に関する情報を徹底的に調べる。名前やニックネームなど、考え得るあらゆるパターンで検索をかけてＳＮＳやブログを割り出したり、背景写真から画像検索をして実家などゆかりの場所を特定したりするという。

動機はエンターテインメントと少しの正義感

　前述の山梨県に帰省した女性のように、一般人が特定班の標的にされる例は少なくない。バイト中に冷蔵庫に入るなど悪ふざけした動画を仲間内の「ＬＩＮＥ」で共有していたところ、一人がツイッターなど開放されたＳＮＳに投稿してしまい、それが拡散して批判を浴び、標的にされるケースもあった。また、ある出会い系サイトで、「有名企業の就職内定者だ」と言って女性を誘っていた男性が氏名を特定され、それを誰かが企業側に通報して内定を取り消されたケースもあったという。

「特定班」は何のために動いているのか。渋井さんは、「エンターテインメントと少しの正義感」と考える。ネット上にあるヒントを集めて情報を絞っていく作業自体が楽しく、真実か嘘かは関係ない。特定することでツイッターで称賛され、話題が広がっていくのが快感なのだと。「その過程で、少しだけ正義感を感じる時もあるのではないか」と推測する。

山梨の事例のように、特定したとされる事実が間違っていることも多い。第1章で紹介した、2019年の常磐道あおり運転事件で、主犯の同乗者と誤認された女性の事例も同様だ。渋井さんは「間違った情報を流して特定した場合は、名誉毀損などで損害賠償を求められる可能性が高い。たとえ正しかったとしてもプライバシー侵害になる」と警告する。

匿名による中傷によって、相手が受ける被害は甚大で傷は深いが、対照的に加害者の動機はあまりに軽い。

第3章　言葉が刃に変わる時

炎上書き込みはわずか1％

炎上に参加するのは意外に「普通の人」であることが分かってきたが、実際に参加しているのは全体から見れば、ごく少数であるようだ。

慶應義塾大学の田中辰雄教授（計量経済学）と国際大学の山口真一准教授（計量経済学）らが2014年に実施した調査で、その一端が明らかになっている。

インターネットモニター約2万人を対象に、炎上への関わりや性別、年齢などの属性を尋ねたところ、炎上を「聞いたことはあるが見たことはない」との回答が約75％を占めた。一方、炎上に参加した経験がある人は、「1度書き込んだことがある」と「2度以上書き込んだことがある」を合わせて計1・1％だった。質問では「炎上事案に対しての書き込み経験があるか」を尋ねており、批判や中傷に限定していない。炎上している人を擁護する書き込みが含まれることを考えると、批判的な書き込みをした人はさらに少ない可能性が高い。

これとは別に、山口准教授らが16年に約4万人を対象に実施した別の調査結果によると、

1件の炎上事例に書き込んだ人のうち、書き込みが3回以下だった人が69％だったのに対し、51回以上の「粘着型」とも言える人は3％だった。山口准教授は「そもそも関与する人は少なく、さらにごく少数の人たちが大量に書き込むことで大きな影響力を持ってしまう。それがネット炎上の特徴です」と語る。

炎上を構成する投稿の内訳については、第2章でも紹介した帝京大学の吉野ヒロ子准教授も分析している。あるパソコン販売店で「高額のサービス解約金を求められた」とした客の投稿をきっかけに炎上した16年の事案に関する約60万件のツイッター投稿を調べたところ、炎上を構成する投稿全体の6割は「なんだこれ」「こんなこと起きてるんだ」といった軽い反応だった。吉野准教授は「炎上というと、ものすごく大量に誹謗中傷が飛び交っているイメージが強いですが、話題になっているから反応しておく、という感じの人がかなり多い」と話す。

さらに、リツイートされる頻度が高かったのは、過激で攻撃的な投稿よりも、騒動を俯《ふ》瞰《かん》してまとめた投稿や、面白おかしくネタにした投稿だったことも分かった。炎上参加者の大半は、冷静な人たちだったとみられている。

マスメディアが炎上を増幅させる

吉野准教授は、炎上を拡大させる要因として、マスメディア、ニュースメディアの影響も指摘する。2015年に行ったウェブ調査で、炎上を認知する経路として「テレビのバラエティー番組」を挙げた人が50・4%と最も多く、「ネットニュース」が32・2%、「テレビのニュース番組」が28・5%と続いた。「ツイッター」(20・4%)や「2ちゃんねる」(18・4%)の割合は低く、既存のマスメディアやそれを引用したネットニュースの影響力が大きいと言える。

さらに、テレビのニュース番組で炎上を認知した人は、炎上した対象を非難する態度が形成されやすいことも分かった。ニュース番組では「炎上対象が不適切な行動をとったために炎上している」という論調で取り上げることが多いのが原因とみられる。マスメディアやネットニュースが多くの人に炎上を認知させ、さらに攻撃的な態度にも影響を与えているのだという。

実際、ツイッターでの炎上が、テレビやネットニュースなどで取り上げられると、さらに多くの人が参加し、再炎上するという現象が起きていることも判明している。吉野准教授は「たいして批判が広がっていないのに、やたらと炎上、炎上と書いて記事を量産しているネットメディアもある。報道を抑制するなど何らかのガイドラインを設ける必要があるのではないでしょうか」と提言し、こう続ける。

「背景には炎上と書けばＰＶ（ページビュー）がとれ、広告収入が増えるなどの事情があるのかもしれませんが、炎上をコンテンツとして消費し続けることは好ましくない。そういうメディアに対して、企業も広告を出さないようにするなど自主的に規制することも対策の一つです」

ウェブサービスごとの書き込み傾向

ネット中傷や炎上という現象は、ウェブサービスによってその現れ方が違う。評論家の荻上チキさん(38)は、ジャーナリストの伊藤詩織さん(31)に関する約70万件の書き込みを対象にウェブサービスごとに傾向を分析した。

第4章で詳しく触れるが、伊藤さんは２０１７年、元ＴＢＳワシントン支局長の山口敬《のり》

民事訴訟で勝訴後、記者会見する伊藤詩織さん（右）＝東京都千代田区で2019年12月18日、丸山博撮影

之《ゆき》氏から性的暴行を受けたとして実名で被害を告発。19年12月には山口氏を相手取った東京地裁の民事訴訟で山口氏側に賠償を命じる判決（控訴中）が出たが、ネット上では伊藤さんに対する中傷が多く投稿された。伊藤さんは20年6月8日、ツイッター上で伊藤さんを中傷するようなイラストを投稿したなどとして、漫画家のはすみとしこ氏らに対し損害賠償を求めて東京地裁に提訴した。

荻上さんは20年2月、伊藤さんの弁護団から依頼を受け、訴訟対象とする書き込みを絞り込むため、伊藤さんが性暴力被害を実名で告発した17年までさかのぼり、投稿内容を収集、分析した。

対象としたのは、ツイッター、フェイス

ブック、ヤフーのニュースコメント欄、ユーチューブ、各種のまとめサイト、ツイートをまとめた「トゥギャッター」、はてなブックマーク、個人ブログ——など10以上のウェブサービス。

伊藤さんの氏名が出ていなくても、伊藤さんを想起させる「オシリちゃん」「伊●詩織」なども含めて検索して投稿を収集。6月8日の提訴会見時点で確認できた投稿は、肯定的な内容も合わせて少なくとも70万件に上った。

荻上さんらは確認できた投稿のうち、ツイッター、ヤフーコメント欄、匿名掲示板「2ちゃんねる」、ユーチューブについて、批判的な投稿と、違法性の高い投稿の割合をそれぞれ推計で算出した。すると、ツイッターでは、批判的な投稿は全体の10・6%で、「ハニートラップ」や「枕営業」など名誉毀損にあたりうる違法性の高い投稿は4・5%だった。

同様に、ヤフーコメント欄では批判的投稿17%、違法性の高い投稿1・8%、2ちゃんねるでは批判的投稿3・9%、違法性の高い投稿3・7%、ユーチューブでは批判的投稿5・5%、違法性の高い投稿3・6%だった。

ツイッターは、違法性の高い投稿が最も高く、批判的な投稿と合わせた割合も四つのサービスの中で2番目に高かった。荻上さんは、背景に「投稿者のアカウントの継続性」と「投稿の拡散性」があるとみる。

「ツイッターは、投稿がリツイートされることによって投稿者が承認されていくプロセスがある。否定的な書き込みを続け、それがリツイートされ続けることによって投稿者は『承認された』と感じ、攻撃的な言葉にエスカレートしていく。書き続けることによって強烈な『アンチ』が育ってしまう土壌があると感じました」

荻上さんはさらにこう指摘する。

「態度模倣効果とでも言えばいいでしょうか。ツイッターでは『このような振る舞いをとることが政治的レスポンス（反応）として正当なのだ』という態度が伝染する。フォロワー数の多いオピニオンリーダーの影響力も強くあります」

伊藤さんを巡っても、〈枕営業（をしていた）〉や〈伊藤詩織は通名で実は（外国籍の）『尹詩織』だ〉というようなデマや、伊藤さんが性暴力に関して海外メディアの取材に答えた内容が〈日本人に対するヘイトだ〉とする主張など、誹謗中傷やデマの内容は似通っている。

こうした現象に荻上さんは疑問を投げかける。

「ツイッターの拡散性自体が問われます。デマやフェイクニュース、他者の尊厳を傷つけるような言説を拡散させることが社会にとって良い行為なのでしょうか」

炎上参加者＝高年収で役職につく男性!?

次に、炎上に参加する人の属性について考えたい。前出の国際大学の山口准教授が2014年の調査をもとに炎上参加者と非参加者の属性を比べたところ、「男性」と「子持ち」という属性に加え、年齢が若い（ただし、調査は20歳以上対象）、世帯年収が高い、ラジオ聴取時間が長い、ソーシャルメディアの利用時間が長い人ほど、そうでない人に比べて炎上に参加する傾向が高くなることが分かった。

さらに16年の調査では、炎上参加者の平均世帯年収（670万円）と非参加者の平均世帯年収（590万円）に80万円の差があった。主任・係長クラス以上の役職についている人は、非参加者では18%なのに対し、参加者では31%を占める。その一方、「無職・主婦・アルバイト・学生」が占める割合は、非参加者で48%だったのに対し、参加者では30%にとどまっている。こうした数字から、どちらかというと生活が安定している人の方が、炎上に参加しやすい傾向が見える。

また、調査結果からは、自分なりの「正義感」に突き動かされて炎上に参加する人が多い傾向もうかがえた。タレントの不倫や一般人がアイスケースに入った写真をツイッターにアップした事案など、一時的に批判が集中した炎上事案5例について書き込んだ人に理由を尋ねると、いずれも「間違っていることをしているのが許せなかったから」との回答が最も多く3〜5割を占めた。さらに「その人・企業に失望したから」を合わせると、いずれの事例でも6〜7割を占めた。

山口准教授は「炎上参加者には情報を自分で摂取し、なおかつそれを自分なりに解釈している人が多い傾向が見えます。政治や様々な話題に対して、自信を持って、自分の考えを持っている。もちろん大半の人はそこで終わりですが、一部の人は自分と違う考えが許せない。そういう人たちが攻撃的な書き込みをしている可能性があります」と分析する。

その上で、「本人は正義感からやっているかもしれませんが、個人の価値基準での『正義』が社会的正義と相いれない場合もある。正しければ何をやってもいいという意識にブレーキが必要ではないでしょうか」と語った。

加害者の動機は祭り型と制裁型

炎上に参加する動機についてさらに掘り下げたい。帝京大学の吉野ヒロ子准教授は2016年、炎上の中で批判的な投稿をした20～50代を対象にウェブを通じて調査。「炎上事件について、批判的な投稿をしたことがある」とした288人に対し、その動機を尋ねて分析したところ、「祭り型」と「制裁型」の二つに大きく分けることができたという。

吉野准教授の説明によると、祭り型は「盛り上がっていたから」「誰かをたたいてスカッとしたかったから」などの項目に「あてはまる」と回答した人たちを指す。リアルタイムでネットでつながり不特定多数と盛り上がることを目的としているとみられる。「祭り」とは、もともと匿名掲示板「2ちゃんねる」で不特定多数に参加を呼びかけるイベントを指す用語。各地の吉野家で同じ日に同じメニューを頼む「吉野家祭り」（01年など）や、アニメ『天空の城ラピュタ』のテレビ放映の際、主人公が重要な言葉「バルス」を発するタイミングに合わせ、視聴者がネット上で同時につぶやくという「バルス祭り」（09年頃以降）などが有名だという。

一方、制裁型は「相手が間違ったことをしたから」「他人に忠告したかったから」などに「あてはまる」と答えた人たちで、社会的な規範を破った者を制裁し、規範を保とうとする傾向が強い。過去の例では、あおり運転の関係者を特定して攻撃したり、不倫した芸能人をたたいたりするなどの炎上事案は、制裁型の動機が強い人の参加が多いと言える。

さらに二つの型に属する人の特徴を詳しく見ると、「祭り型」の動機が強い人は、20〜30代と比較的若い年齢層が多い。多様な意見の人と接するよりも同じ意見の人と盛り上がることを好み、気が短いのが特徴だ。「炎上で誰かをたたいても罰せられることはない」「ネット上で誰かがたたかれるのを見るのは面白い」と考え、実際の炎上への参加方法も、炎上の対象に直接抗議する傾向が強かった。吉野准教授によると、このタイプは普段からネットをよく使い、身の回りのことなどいろいろな投稿をしている人たちで、16年の熊本地震では励ましの言葉や役立つ情報などの投稿も頻繁にしていたという。

一方、「制裁型」の動機が強い人は、「社会を住みよくするには法や規制をもっと厳しくすべきだ」と考えている人が多い。半面、孤独感が強い。さらに経済的状況への満足度が低く、ストレスがたまっているという。「炎上するのは常識がないからだ」「炎上には社会的意義がある」と考え、対象には直接抗議せず、中立的意見を書くこともあるという。

このタイプの人たちは、実は寄付やボランティアをする、見知らぬ人に電車の席を譲るといった「向社会的行動」の頻度が、批判的投稿をしたことがある人の中では低いという結果が出たというのだ。このため、吉野准教授は「このタイプが正義感が強いかというとそうとも言い切れない」と考え、「制裁型」と名付けた。さらに制裁型は、自分の経済的状況に不満があり、ストレスがたまっていると自覚する頻度が高い傾向もあるという。「社会的制裁を一種の口実にして、『憂さ晴らし』で参加している人もいるのではと推測しています」

炎上の動機には以上のように「祭り型」と「制裁型」で大きく二つのタイプがあるが、吉野准教授は「いずれかにはっきり分類されるわけではなく、同じ人でも両方の型が濃淡を伴い混じり合っていることもあります」と話す。

「正義中毒」の人の脳内では何が起きているのか

ここからは、誹謗中傷の投稿をしてしまう人の脳内のメカニズムや、心理状態に迫ってみたい。

誹謗中傷を書き込んでいる人の頭の中では、どのようなことが起きているのか。脳科学者の茂木健一郎さん(57)は「感情を抑制する前頭前野の働きが一つの鍵を握っています」と指摘する。

好き嫌いなどの感情をつかさどるのは大脳辺縁系にある扁桃体で、それを抑制する「理性」に関わる回路は前頭葉の前頭前野にある。前頭前野には過去の記憶や経験を結びつけて総合的に判断する機能があり、書くか書くまいか考えるといった「判断保留」の際に働く。これは脳の負荷が高い行為だという。「脳はストレスを感じている時、負荷の高い行為はしたくなくなる。相手の背景や文脈を考慮せず即断即決で攻撃している人は、ストレスなどによって前頭前野の機能が弱まっているのかもしれません」

前頭前野が成熟するのは20代後半頃で、人生経験の豊かさが成熟を促すという研究結果がある。映画や音楽鑑賞、読書といった教養もその機能を高め、虐待など抑圧された幼少期を過ごすと、その働きは弱まるとされている。

さらに、中傷に対して被害者側が何らかの反応をすることが、攻撃を激化させる「餌」になるという。脳には「報酬系」と呼ばれる神経回路があり、心地良い刺激があった時に活性化され、快楽物質であるドーパミンが分泌される。それが一度記憶されると、脳がその「報酬」を期待するようになる。被害者が中傷に反論したり、中傷したアカウントをブロックしたりすることも、加害者側にとっては一つの報酬となる。

そうした反応によって報酬系が強化され、繰り返してしまうのではないか――と茂木さんは説明する。「有名人に見ず知らずの人が近づいても相手にされませんが、攻撃することで相手にしてもらえば、ある種の成功体験になります。実生活で周囲に大切にされていない人ほど、その達成感は強くなるでしょう」

同じく脳科学者の中野信子・東日本国際大学特任教授は、こうした状態のことを著書『人は、なぜ他人を許せないのか？』（アスコム）で「正義中毒」と名付けている。著書の中で、「正義中毒の状態になると、自分と異なるものをすべて悪と考えてしまう」「誰かを許さないことで自己を肯定したい、自分の正しさを認めてもらいたい、という欲求の裏返しのよう」にも見える、と指摘。そして、特に相手が「『わかりやすい失態』をさらしている場合、そして、いくら攻撃しても自分の立場が脅かされる心配がない状況などが重なれば、正義を振りかざす格好の機会となる」などと解説している。

ゆがんだ正義の果ての憎しみ依存

脳は「報酬」を得ると喜ぶ。自分の正しさを認めてもらうために相手を攻撃する。それが中毒になり、依存状態となっていく――。2人の脳科学者の解釈をより具体的に理解するために、第1章のスマイリーキクチさんの話に戻りたい。

自身を中傷した加害者について、警察から話を聞き、スマイリーさんはひどく驚いた。加害者たちは、事情聴取に対し、「逆に（スマイリーさんが）謝罪しろと言っている」という。「僕を本気で犯人だと思っていて、むしろ自分たちは『デマに流され、つかまった被害者』だと思っていた。正義と暴力は紙一重なんだと感じました」

スマートフォン片手に指1本で「こいつ嫌い」と書き込み、「いいね」がつくと、共感する人がいると思い込み、「もっと過激なことをしよう」とエスカレートしていく……。こうした負の感情の連鎖の仕組みをスマイリーさんはこう語る。

「怒りが一人のターゲットに向いた途端、自分が何かされたわけでもないのに、徹底的にたたいてしまう。これはもはや依存症……『憎しみ依存』です」

ネット上の言葉は時に凶器となりうる。

「言葉の殺人者にならないでほしいと思っています。『憎しみ依存』の人は、今すぐ加害行為をやめてもらいたいです」

スマイリーさんは各地で開く講演などでも、そう願いを込めながら、体験談を語っている。

また、精神科医の香山リカさん(60)は、ネット中傷の依存状態になる背景について、「自己有用感」という言葉で説明する。

「SNSは匿名で、安全地帯から物が言えると思い込んでいる人が多いので、ある種の達成感が得られやすい。攻撃した相手がショックを受けたり動揺していたりするのがSNS上で分かると手応えを感じ、さらに多くの人から賛同を得られると『こんなに人のために役立った』という自己有用感が強くなります」

さらに攻撃に陥りやすい人の心理状態として「いろんなことがうまくいかず、自分は一生懸命やっているのに報われないとか認めてもらえないとか、現状に不満や不本意な思いを持っていると考えられます」と分析。そのうえでこう続ける。

「仕事などが順調な人や、評価されている人を見ると、この人たちがいるから自分は報われないんだという気持ちになり、それをぶつけるために中傷してしまうのかもしれません」

一方で、誹謗中傷を繰り返す行為は、相手を傷つけるだけにとどまらない。茂木さんは、中傷している人が自身の脳にもたらす影響についても説明する。

脳にはミラーシステムという、他者の感情に自分の感情を鏡のように投影する、つまり共感につながる部位がある。

「匿名で鬱憤を晴らしたつもりでも、誰かを中傷することは、実は自分の脳も傷つける自傷行為なんです。でも当事者は、そのことに気づけていない。自分自身の認知について客観的に捉える『メタ（高次の）認知』ができていないということでしょう」

公正な世界を信じる人たち

ここまで、脳や心の働きを探ってきたが、現実社会との関係もふまえ、別の側面から考察してみたい。

評論家の荻上チキさんは、ジャーナリスト伊藤詩織さんに関するネットの書き込みを分析する中で、攻撃的な投稿をする人の考え方に一定の傾向が見えたという。

「社会心理学上の『公正世界仮説』や『公正世界信念』と呼ばれる考え方を強く内面化している人たちです」

公正世界信念とは「世界は突然の不運に見舞われることのない公正で安全な場所であり、人はその人にふさわしいものを手にしているとする信念」である。言い換えると、良いことをした人は報われ、悪いことをした人は痛い目に遭うというように、社会が「公正」な仕組みにできていると信じることだ。

こうした信念は、幼少期からの体験の積み重ねで育まれ、誰の中にもある程度はあるが、物事を受け止める時にこの考え方がどう出るかは人によって濃淡がある。一般的に公正な世界を強く信じる人たちは、誰かが不幸に見舞われても、それはその人自身に何らかの問題があったためだと結論づける傾向にあるという。落ち度のない人が被害に遭うということを認めてしまうと、自分の信じる「公正な世界」が揺らいでしまうからだ。こうした考え方は、公正世界信念の中でも特に「内在的公正推論」と呼ばれている。

荻上さんは「公正世界信念が強い人の方が、地道な努力ができ、社会適応能力も高い。努力はいずれ報われると信じているので頑張れるし、成功することが世の中の公正さの証明として理解されます」と指摘する。その一方で、「弱者に対しては、『頑張ればいい』『やればできる』として、自己責任を説くことにもつながる」と懸念する。

前述の山口准教授は炎上参加者の調査の中で、「主任・係長クラス以上」で「収入が高め」で「正義感が強い」人の参加が比較的多いと分析した。こうした人物像と、公正な世界を信じて努力を重ねる「内在的公正推論」を強く抱く人たちとは共通点もありそうだ。

荻上さんはこう提言する。

「実際には、この社会は公正でも平和でもない。でも、たとえ公正でなくとも、問題を改善していけばより暮らしやすくなるという信頼感を築くことができれば、ネット上での振る舞いも変えていけるのではないかと思うのです」

コロナ感染を自業自得と考える日本人

この「内在的公正推論」に関連しては、新型コロナウイルスの感染が世界規模で拡大した2020年春、ある興味深い調査結果が示された。日本の心理学者たちが日本、米国、英国、イタリア、中国の5カ国でそれぞれ400~500人を対象に実施した調査だ。衛生意識や他人との関わりに関する感情を尋ねる70に及ぶ質問の中で、新型コロナウイルス感染症に関して次のような項目があった。

「感染した人がいたとしたら、それは本人のせいだと思う」

「感染する人は、自業自得だと思う」

それぞれの項目に対して、①非常にそう思う②ややそう思う③どちらかといえばそう思う④どちらかといえばそう思わない⑤あまりそう思わない⑥まったくそう思わない――の6段階で、自分の考え方に近い回答を選んでもらった。

「本人のせいだと思う」とする意見について、①〜③（そう思う）と答えた人の合計が、日本では全体の15・25％だったのに対し、米国4・75％、英国3・48％、イタリア12・32％、中国9・46％で、日本が突出して高かった。

同様に「自業自得だと思う」とする意見についても、①〜③（そう思う）の合計は、日本が11・5％だったのに対し、米国1％、英国1・49％、イタリア2・51％、中国4・83％だった。

これらは各国の人々の「内在的公正推論」の強さを比較しようと意図された質問だった。

新型コロナウイルス感染は、本人の努力や意識との相関関係は低いとみられ、本人の責任を過剰に問うのは論理的ではない。それでも、「内在的公正推論の強さ＝個人の自己責任を問う傾向」が日本に比較的高く出る結果となった。

なぜ日本で内在的公正推論が強い傾向が出るのだろうか。調査に携わった大阪大学大学院の三浦麻子教授（社会心理学）は「あくまで推論ですが」と断り、こう説明する。

「突発的な災害を何度も経験するような厳しい環境の社会では規範意識が強いことを示す研究があります。日本もその典型で、悪い結果と規範に沿わない行動を結びつけているのかもしれません」

ネットでも変わらない群衆心理

ネット空間から垣間見える日本社会の特徴を分析してきたが、ネット上の中傷は日本に限ったことではない。木村花さんは番組上の振る舞いを巡って誹謗中傷を受けた末、亡くなったが、米国や欧州でも同種番組の出演者への誹謗中傷、関連した自殺は絶えない。国家や民族に関係ない共通した背景も考えたい。

人はネット空間で、なぜ集団になって特定の相手を攻撃するのだろうか。そんなことを考えている時、ある古い心理学分析に出会った。フランスの心理学者、ギュスターヴ・ル・

ボンが1895年に出版した『群衆心理』（講談社学術文庫／1993年）だ。フランス革命などを題材にした古典的名著とされ、今も世界中で読み継がれている。日本では日清戦争が終結した年で、電話すら普及していなかった時代。群衆というのは、当然ながら街頭での生身の人間の集団を指す。しかし、同書は、ネット上にも共通する群衆の性質をかなり的確に指摘している。

人間は群衆を形成すると、個人の生活様式や職業、性格、知力の差を問わず、「集団精神」が与えられ、「人々の知能、個性は消えうせ、同質的なものの中に埋没して、無意識的性質が支配的になる（一部略）」という。

さらに群衆が持つ感情の特性として、①脳の作用よりも脊髄の作用を受ける。このため衝動的で興奮しやすい、②暗示に感染しやすく、物事を軽々しく信じてしまう、③単純で誇張的であり、群衆に疑惑や不確実の念を抱かせない、④横暴で偏狭な性質があり、保守的傾向がある——と指摘している。

この章で見てきたネット中傷加害者の多くは、普段から攻撃的なわけではなく、一定の分別のある「普通の人」だった。いずれも一人ではそんな行動には出ないのに、ネット空間の群衆に入ると変容してしまう。100年以上前の同書では、次のように言い当てるている。

「人間は群衆の一員となるという事実だけで、文明の段階を幾つも下ってしまうのである。それは、孤立していたときには、恐らく教養のある人であったろうが、群衆に加わると、本能的な人間、従って野蛮人と化してしまうのだ」

ゆがんだ正義感やお祭り感覚から攻撃してしまう心理、脳構造の特性や依存傾向、そして日本社会の特質や群衆心理……。ネット上の誹謗中傷は、複雑な要素が絡みあって起きていることが浮かび上がってくる。次章では、ネット中傷による暴力被害の深刻さ、多様さについて、改めて考えたい。

第4章　深刻化する被害の真相

炎上の歴史

第4章では、ネット中傷による被害を受ける側に徹底して寄り添って考えたい。

そもそも、ネット中傷や炎上による被害は、最近始まったものではない。2000年代から、その舞台となるメディアを変え年々、多様化、深刻化してきた。

00年代の炎上の主な舞台は、匿名掲示板「2ちゃんねる」だった。大規模な炎上事案として知られるのが、04年4月に起きたイラク日本人人質拘束事件だ。日本人のボランティアやジャーナリストら3人が現地で武装勢力に人質として拘束され、武装勢力側は、当時イラク南部サマワで活動していた陸上自衛隊の撤退を要求。3人に対しては、「非国民」「自己責任だ」などの強い非難が浴びせられた。イラクへの自衛隊派遣は、活動理由も法的根拠もあいまいさを抱え、派遣前には国内で大きな議論を呼んだが、人質拘束事件が起きると、遠因となった自衛隊派遣の是非は棚上げされ、人質3人の責任にばかり焦点が当てられた。3人は無事解放されたが、帰国後もバッシングは続く。中でももっとも若く当時18歳だった今井紀明さん(35)は、とりわけ激しく攻撃された。2ちゃんねるに中傷の投稿があふれたほか、今井さん自身のブログには6000件の悪質な書き込みがあった。

「『死ねばよかったのに』という言葉が心を突き刺した。ネットだけでなく、手紙や電話、道ばたでも罵声を浴びるようになり、『全国民から批判されている』という気持ちになった」と今井さんは振り返る。

人間不信から一時ひきこもりになり、大学時代は自殺を試みたこともあった。現在は、自身のつらい経験をふまえ、NPO「D×P」（大阪市中央区）を運営。生きづらさを抱えたり、孤立したりしている若者の支援にあたる。大事にしているのは「つながりの場」だ。かつてネットは苦痛をもたらす存在だったが、現在はSNSを積極的に活用して発信、相談、支援に力を入れる。

炎上件数の推移はどうだろうか。

吉野ヒロ子・帝京大学准教授が「2ちゃんねる」のアーカイブサイトから「炎上」をスレッドタイトルに含むログを集計すると、05年にはわずか1件だったのが年々急増し、11年には100件を超え、16年には704件に上った。

08年にツイッターの日本語版の運用が始まり、10年代以降は、フェイスブックなどとともにSNSの利用が急速に進んだ。中でもツイッターは、著名人から政治家までどんなアカウントでも原則誰でもフォローが可能で、リツイートしたり、コメントしたりすることができる。閉じられたコミュニティーのLINEやフェイスブックとは違い、その開放性、拡散力の高さから、炎上の格好の舞台となっていった。

スマートフォンの普及、SNSの利用が進み、ネット上のトラブルは増えている。総務省が運営する「違法・有害情報相談センター」に寄せられる相談件数は、受付を開始した10年度の1337件から19年度には約4倍の5198件に増加。15年度以降は5000件超で高止まりが続く。19年度の相談の内訳は、住所・電話番号などがさらされるプライバシー侵害が最も多く2761件、次いで名誉毀損・信用毀損が2380件となっている（重複あり）。法務省が集計するインターネット上の人権侵犯事件数も右肩上がりで、05年度の272件から17年度には2217件とピークに達し、19年度も過去2番目に多い1985件となっている。

デジタル・クライシス総合研究所によると、19年の炎上事案の批判や中傷の矛先は、著名人が最も多く40・4％。法人（32・5％）のほか、一般人（27・1％）が「炎上」の対象となる事例も少なくなかった。また、無作為抽出した炎上事案50件を分析した結果、72％

にあたる36件がツイッターを発生源としていた。

どこから石が投げられるかわからない

ＳＮＳ上の大規模な攻撃事例で、近年目立っているのが女性を標的にしたものだ。

第3章でも触れたジャーナリストで性暴力被害者の伊藤詩織さんは２０２０年6月8日、東京都内で記者会見を開き、漫画家のはすみとしこ氏ら３人に計７７０万円の支払いを求めて提訴したことを明らかにした。自身の性暴力被害に関し、〈枕営業〉などとするツイッター投稿やリツイートで名誉を傷つけられたとするものだ。

会見で伊藤さんが紹介したのが、イソップ童話の短編「男の子とカエル」だ。


――男の子たちが、池のそばであそんでいて、カエルが浅瀬をおよいでいるのを、見つけた。男の子たちは、おもしろがって石をなげ、なんびきかを死なせた。

とうとう、一ぴきのカエルが水面から顔をだして、こういった。

「どうか、やめてください！　あなたたちにはあそびでも、わたしたちにとっては、命と

りなんです！」（一部抜粋）

（出典：『イソップ寓話集　クラシック イラストレーション版』童話館出版）

伊藤さんが法的措置を取った3人以外にも、伊藤さんへの中傷はネット上に多く存在する。この童話が表しているのは、気軽に投げられる悪意が、受け手に対して時に「命の危険」を感じるほどの恐怖を与えるという教訓だ。

「私たちにとって、（相手は）顔も見えないし、どこから石が投げられてくるのかも分からない。それが本当に苦しい。心が追い詰められてしまうくらい苦しい」

会見でそう語る伊藤さんの顔はマスクで半分隠れていたが、硬くこわばっているように見えた。

訴状によると、伊藤さんが、侮辱的な表現で名誉を傷つけられたとして挙げたはすみ氏のツイートは計5件。伊藤さんについて〈安倍総理に近い記者に枕営業を仕掛ける〉などと述べたものや、伊藤さんに似た女性の姿とともに〈枕営業大失敗!!〉〈裁判なんて簡単よ！マスコミ・メディア　人権擁護団体…カメラの前で泣いてみせて　裁判官に見せればいい〉などの言葉を書き込んだイラストを伴うものだ。5月19日時点で、5件の投稿のリツイートは計7919回、「いいね」は計1万7759件にのぼる。〈枕営業大失敗!!〉と書かれたイラストを巡っては、自民党の杉田水脈《みお》衆院議員がパネルにしたそのイラストを他の出演者らと嘲笑するかのような演出のユーチューブ番組があり、その模様は伊藤さんを描いた英BBC放送でも批判的に取り上げられた。

伊藤さんは17年5月、実名と顔を明かして元TBSワシントン支局長の山口敬之氏による性暴力を告発。刑事事件は不起訴になったが、17年9月には山口氏を相手取る民事訴訟を東京地裁に起こし、翌月には自身の性暴力被害を巡る課題を描いた書籍『Black Box』（文藝春秋）を出版した。東京地裁は19年12月、「性行為に同意はなかった」として山口氏に330万円を支払うよう命じる判決を言い渡した。山口氏は判決を不服として、東京高裁に控訴している。

はすみ氏は、伊藤さんのこうした一連の性被害告発について疑問をはさんでいる。はすみ氏は伊藤さんからの提訴を受け、訴状で示されたツイートについて「本件風刺画はフィクションである為、事実真実と異なる部分があって当然であります」と毎日新聞の取材に文書で回答。また「本件裁判全ての請求に対し棄却を求めます。伊藤氏の訴えは、自由と民主主義に対する挑戦であり、冒涜であります」としている。

セカンドレイプは私たちの世代で終わりに

日本で、性暴力を受けた人が名前や顔をメディアに出して被害を告発するケースは少ない。同じ２０１７年に米国で＃ＭｅＴｏｏ運動が盛んになり、国内での先駆けだと評価が高い一方で、伊藤さんへの根拠のない批判、中傷は深刻だ。

批判の舞台は主にＳＮＳだ。20年6月8日の会見では、誹謗中傷だけでなく、身の危険を感じるようなものや家族や友人に向けられた攻撃的な内容もあったと明かし、外出することが怖くなったり夜眠れなくなったりして、イギリスに生活の拠点を移したと語った。

伊藤さんはネット上の誹謗中傷について「正面から向き合い闘うのがつらかった」としつつ、「今自分が行動を起こさなければ、こうした発信をしていいのだということになってしまう」と世に訴えた理由を語る。

訴訟準備を進める中、5月下旬に木村花さんの死去が大きく報道された。見えない相手から誹謗中傷される心境が共通しており、「食事が喉を通らなくなった」という。

性暴力を巡っては、直接の暴力被害だけでなく、周囲から「被害者にも落ち度がある」

と言われたり、セクハラを訴えて不利な待遇を受けたりするなど、事後に再び被害に遭うことが大きな問題となる。いわゆる「セカンドレイプ」である。性被害を告発しても適切に扱われないという恐れから、被害者に沈黙を強いる要因にもなっている。

荻上チキさんらの分析では、伊藤さんが性暴力被害を実名で告発して以降、ツイッターだけで推計約３万件の攻撃的な投稿があることが明らかになっている。

伊藤さんは20年８月20日、自民党の杉田水脈衆院議員に対しても、伊藤さんを中傷する第三者のツイートに相次いで「いいね」を押し、伊藤さんの名誉感情を傷つけたとして、２２０万円の損害賠償を求め東京地裁に提訴した。

訴状によると、約11万人のフォロワーを持つ杉田議員が「いいね」を押したのは、〈ニコニコ顔で自分のレイプ体験を語るヤツが被害者って変だと思わないのかなぁ⁉〉〈コネを作ろうとホテルに行ったのに、上手くいかなかったと分かると虚言を吐き始めたのです〉――など特に悪質とされた13のツイート。

伊藤さんの代理人は、提訴後の記者会見で「多くの人がよってたかって伊藤さんを中傷し、それに対して片端から『いいね』を押す行為は集団いじめだ」と訴えた。

伊藤さんは同時に、元東京大学大学院特任准教授の大澤昇平氏に対しても、名誉を傷つけるツイートを投稿したとして110万円を求めて提訴した。提訴直後、杉田氏、大澤氏とも、「訴状が届いておらず、コメントできない」としている。

伊藤さんは自分のような被害を再発させないためにも、セカンドレイプを強く問題視する。痴漢被害に遭った女子高校生から「ネット上での誹謗中傷をどうやったら減らせるのか」との相談を受けたこともある。6月の会見で伊藤さんは力を込めて語った。

「性被害を乗り越えていくというのは本当に難しいこと。こんなこと（セカンドレイプ）は、私たちの世代で終わりにしたいと思っています」

本日をもって鍵アカウントにします

伊藤さんがネット上の誹謗中傷への法的措置をとった約1カ月後、ツイッターの自分のアカウントに「鍵」をかけた人がいる。「鍵」とは、承認した人以外には非公開とする手段だ。職場でのヒール靴着用義務づけに反対する運動「#ＫｕＴｏｏ（クートゥー）」を2019年に提唱した俳優兼モデルの石川優実さん（33）だ。石川さんは20年7月5日、〈本日をもって、石川優実アカウントは鍵アカウントに致します。理由は、ツイッターでの嫌がらせに耐えられず心身ともに体調を崩しているからです〉とツイートした。

「＃ＫｕＴｏｏ」は、性被害告発の「＃ＭｅＴｏｏ」の綴りと「靴」「苦痛」の発音をもじったハッシュタグをシンボルに掲げ、ツイッター上で多くの賛同を得た。自らも以前、職場でヒール靴の着用が定められていた石川さんは「女性だけに強制するのは性差別」として国に対策を求め、19年6月に1万８０００筆を超える署名を厚生労働省に提出した。

「＃ＫｕＴｏｏ」は「現代用語の基礎知識選　２０１９ユーキャン新語・流行語大賞」のトップ10にも選ばれるなど、19年の世相を象徴する運動となった。国外でも注目され、英ＢＢＣは「今年の女性１００人」に選んだ。

だが、運動の最中、ツイッター上では、石川さんに対する中傷や批判の言葉があふれかえっていた。石川さんの言動を取り上げ〈詐欺師〉〈売名活動家〉と揶揄するもの、〈女性優遇だ〉と運動を曲解するもの、さらに〈レイプされて死ね〉といった違法性の高い脅迫的な文言もあったという。

石川さんはこうした自身に対する書き込みに反応するだけでなく、自分の名前や＃ＫｕＴｏｏに言及するツイートを検索し、反論することもあった。そんな姿勢を「自分から絡みにいっている」「見なければいいのに」と批判する声もあった。

グラビア女優としても活動する石川さんは、以前からツイッター上でセクハラや容姿を侮辱するような返信やダイレクトメッセージを受け取ることが多かった。しかし、#ＫｕＴｏｏをはじめ、女性差別や政治について声を上げるようになってから「（反応の）質が変わった」という。

「私が言っていないことをさも私が言ったかのように流したり、悪いように印象操作をしようとしたり……」

実家の住所と電話番号が匿名掲示板に書かれているのを知り、警察に通報したこともある。20年1月には、精神的に追い詰められ、一時的に満員電車に乗れなくなったという。

悪質な返信、ツイートをするアカウントはブロックし、その数は１０００人以上に及んだ。それでも新しいアカウントを作ればフォローが可能で、しつこく追いかけているフォロワーもおり、いたちごっこが続いた。

ツイッターでの中傷に耐えかね、石川さんは20年2月、記事投稿サイト「ｎｏｔｅ」でこう綴った。

〈ＢＢＣで選ばれても流行語ノミネートされても、そんな素晴らしい嬉しいことが全て無効になってしまうくらい大きな圧力に潰されてしまいそうです（一部略）〉

苦悩の末、ツイッターのアカウントに鍵をかけ、発信を減らしたことで、攻撃は少なくなった。しかし、幅広く発信する活動を妨害された悔しさは消えない。

石川さんは諦めてはいない。「若い人たちにフェミニズムのことをもっと知ってほしい」との思いから、今後は10代、20代が多いインスタグラムを中心に発信を続けていく。

また、ネット上で誹謗中傷を受けた被害者に向け、相談先や対処方法を紹介するサイトを開設しようと知人らと準備を進めている。

「誹謗中傷と向き合う時に、周りの力は必要。本人だけじゃなくて、その周りの人にも情報として何か提供できたらいいなと思っています」

物言う女性への攻撃

伊藤さんや石川さんへの攻撃に共通するのは、声を上げた女性をたたこうとする風潮だ。近年では、女性の著名人が政治や社会に対して声を上げるたびに、執拗な攻撃が寄せられてきた。ツイッターで多くの人が参加した「#検察庁法改正案に抗議します」のオンラインデモでは、歌手のきゃりーぱみゅぱみゅさん（27）が賛同を示したが、「歌手やってて、知らないかも知れないけど（中略）騙されないようにね」などの言葉を受け、ツイートをその後取り消した。

社会活動家らが2020年7月、SNS上での誹謗中傷対策について会見した際、作家の雨宮処凛《あまみやかりん》さん(45)は「『#MeTooなどの盛り上がりの中で、『物言う女性は黙らせなければいけない』と勝手に思い込んでいる人が一部にいる。（攻撃する側に）正義感や被害者意識があると感じる」と指摘。「SNSの普及によって、攻撃すれば（中傷が）本人に直接届くと分かってひどくなったのではないか」と語った。

「物言う女性」への攻撃はやり方も陰湿だ。19年2月7日、女性の地方議員や弁護士ら7人が東京都内で会見し、「注文していない女性用下着や化粧品が送りつけられた」などと被害を訴え、抗議した。村上聡子・北九州市議、緒方夕佳・熊本市議、太田啓子弁護士、作家の北原みのりさんら7人で、いずれも通信販売を使って代金引換の形で商品が送りつけられたという。緒方市議は子連れで議場に参加しようとして議論のきっかけとなった女性だ。北原さんは、東京医科大などで一部の女性受験者や浪人生が差別され、不合格とされていた不正入試問題に抗議した女性で、19年4月からは全国で性被害を訴えるフラワーデモも呼びかけた。7人とも女性の人権に関する発言や活動がメディアで取り上げられると同時に、ＳＮＳ上で批判的な書き込みを受けていた。

国際人権団体アムネスティ・インターナショナルは17年、米英など８カ国の女性計約４０００人を対象に調査を実施した。23％の女性がネット上でハラスメントを受けた経験があると回答し、そのうち41％の人が「身体の安全が脅かされると感じた」と答えている。また、情報セキュリティー大手の「ノートンライフロック」が17年、オンライン上で16歳以上の日本人女性を対象に実施したアンケートでは、46％がオンラインハラスメントの被害経験が「ある」と回答。具体的な内容を尋ねると、最も多いのが「悪意のあるゴシップ／噂」（46％）で、次いで「誹謗中傷」（34％）、「セクハラ」（32％）だった。

ネット上ではそもそも女性が被害に遭いやすい傾向があるうえ、目立った社会的、政治的活動に関わったり、声を上げたりすれば、なおさらだ。もちろん男性の中傷被害もあるが、発言や活動の内容ではなく、意見を発信すること自体に対して批判が集まるのは、女性特有と言えるかもしれない。

ネット上でなぜ女性が中傷の標的になりやすいのか。

ジェンダー表現に詳しい大妻女子大学の田中東子教授（メディア文化論）は「日本では、教室や職場などの日常空間で女性がどういう態度や役割を取るのか、あるべき女性像があり、女性が自分の意見をはっきり述べることが忌避される風潮がある」とし、「それゆえに物言う女性たちへのいらだちが、時にネット上での執拗な攻撃となる」と説明する。

田中教授は、こうした性別役割を強化させてきたのがメディアだと指摘する。若い女性アナウンサーが男性の司会者や出演者に笑顔であいづちを打つばかりのテレビ番組や、「無知な女性に男性が物事を教える」構図のメディア表現は今も多くある。田中教授は「物言う女性への攻撃をなくすためには、日本社会に根深くある女性への差別意識を問わなければなりません」と話す。

SNSは新たな権力か

ネット上の中傷や炎上という現象は、ネット空間のみにとどまらず、現実社会に大きな影響を与えるようになっている。立法、司法、行政と並び、マスメディアを「第4の権力」とする見方があるが、SNSは、従来のメディアとは別の新たな権力と言えるかもしれない。

2013年春には、男子大学生らが大阪市のテーマパーク「ユニバーサル・スタジオ・

ジャパン」を訪れ、ボートをわざと転覆させたり、骨折した手のレントゲン写真をジェットコースターでけがしたように装ったりしてツイッターなどに投稿したことが明らかになった。ＳＮＳで炎上し、さまざまな迷惑行為が広く知られるところとなり、警察が動き、学生らは威力業務妨害罪などで略式起訴された。

14年7月には、家事の分担を題材にした住宅会社の動画広告が批判を浴び、打ち切りに追い込まれた。家事を手伝う夫に対し、妻が細かく注意をはさむことが、夫への「家事ハラ（ハラスメント）」に当たるとした内容。もともと家事ハラという用語は、家事労働が軽んじられ、女性に押しつけられる風潮を、ある大学教授が問題視して提唱したもので、本来と異なる意味で使われたことで波紋を呼んだ。

また、ＳＮＳで情報発信されたことで、消費者問題が一気に表沙汰になったケースもある。10年末から翌年明けにかけて、共同購入サイトで販売されたおせち料理が大みそかまでに届かなかった、見本と異なり大幅に少なかった――といった苦情が相次いで投稿された。定価2万１０００円の商品を、一定数の利用者が集まれば半額で購入できる仕組みだった。しかし、投稿された写真では、届いた商品の重箱は中身が極端に少ないのが明らかで、ＳＮＳでは「スカスカおせち」と評された。その後、食材の一部に表示と異なるものが使われていたことも判明。横浜市が食品衛生法に基づき、販売した会社に立ち入り調査したほか、消費者庁はこの会社に対し、景品表示法違反に当たるとして、再発防止の措置命令を出す事態に発展した。共同購入サイトの本社は米国にあり、最高経営責任者が謝罪のメッセージと再発防止策を公開した。もし、個々の購入者が業者へ苦情を言うだけにとどまっていたら、ここまで大きな問題には発展しなかっただろう。

世間を揺るがす事件では、SNSが警察やメディア以上に力を持つこともある。中でも、第2章で取り上げた「特定班」と呼ばれる人たちの行動は重大な影響を及ぼしている。先述の常磐道あおり運転事件のように犯人を誤認するような例のほか、11年10月に起きた大津いじめ自殺事件では、同級生の加害者の氏名や住所が匿名掲示板などで流された。少年法で守られるべき未成年の個人情報が興味本位で拡散された。

警察やマスメディアによって半ば独占されていた情報を、ネットを通じて市民が広く共有することにはメリットもあるだろう。しかし、人権上の配慮、社会への影響力などを考慮するというブレーキが働かなければ危険だ。

中傷は突然降りかかってくる火の粉

本人がSNSで発信した投稿だけが中傷のきっかけになるとは限らない。誰もが突如、襲われる可能性があるのがSNSの特徴だ。

東京都豊島区の「池袋大谷クリニック」の大谷義夫院長も突然標的にされた一人だ。2020年3月上旬のある日、朝からクリニックの電話が鳴り止まなくなり、受付担当の妻が受話器を取ると、「反日！」「政府批判をするな」という怒鳴り声が響いた。すぐに理解ができず聞き返すと、「ネットを見ろ！」と言われた。調べると、大谷院長がテレビ番組で発言した内容を理由に、SNSで大谷院長を「反政府」などと批判する投稿が見つかった。

「問題」とされた発言は、テレビ朝日の人気情報番組にコメンテーターとして出演し、新型コロナウイルス対策について述べた意見だった。感染拡大が日々報じられる中、2月下旬からは連日のように、呼吸器内科の臨床医として依頼を受けて番組に出演。患者と接する立場から、感染の有無を判断するPCR検査の受けにくさを指摘し、「医師が必要と判断した患者は、ＰＣＲ検査を受けられるようにしてほしい」という思いを訴えていた。これが「政府に批判的だ」ととらえられてネットで炎上し、電話攻撃にもつながったとみられる。普段、ＳＮＳを使っていなかった大谷院長は炎上に全く気づかなかった。

完全予約制のクリニックは、非難の電話で予約が十分に受けられなくなった。クリニックに直接押しかけて抗議する人まで現れた。妻は夜、眠れなくなり、帯状疱疹《ほうしん》が出た。大谷院長は「このままでは診療がままならない」と考え、テレビ出演を見合わせ、警察に相談した。

大谷院長は「私は反日でも反政府でもないし、命がけで診察をしている。匿名で誹謗中傷するのは、表現の自由とは違うのではないか」と訴える。

同僚の顧客対応の不手際から、突然、炎上の当事者にされ、裁判に至った事例もある。訴状をもとに経過を説明する。19年6月、ある夫婦が、仙台市内のホテルで挙式したところ、招待客への料理提供や式場の飾り付けなどに不備があり、「祝電を読み上げない」など事前の打ち合わせの約束も守られなかったとして激怒した。打ち合わせを担当した男性は、夫婦に対し、実名を挙げて「従業員の女性の対応に問題があった」と受け取られるような説明をしたため、夫婦の友人がこの女性をSNS上で強く非難した。これに共感し、女性を非難するツイートが相次いだのだ。

〈人の人生ぶっ壊したの○○さん　あなただよ〉

〈自殺実況すれば丸くおさまりまっせ〉

実際には、女性は新規契約の受付を担当しており、結婚式の準備などには関わっていなかった。それでも、女性に対する攻撃は収まらない。女性の氏名や住所などの個人情報もさらされ、ホテルには連日、嫌がらせや苦情の電話が多数かかってきた。

女性は出勤できる状況でなくなり、医師から不安障害の診断を受けた。20年1月に退職し、翌2月、ホテルを運営する会社側の対応に問題があったとして、会社を相手取り慰謝料など330万円の支払いを求める訴訟を仙台地裁に起こした。一連の騒動がテレビや週刊誌などでも報じられたことで名誉や信用が毀損されたうえ、ネット上で拡散した個人情報や中傷の投稿が残る「デジタルタトゥー」にも苦しんでいると訴えた。会社側は争う姿勢を示している。

中傷が殺害事件にも発展

2020年5月に亡くなった女子プロレスラー、木村花さんは生前、執拗なネット中傷に悩んでいたとされる。同様に、これまでもネット上の誹謗中傷を巡り、重大な結果につながったケースもある。

13年6月、岩手県一戸町のダム湖岸で、岩手県議の男性（当時56歳）が亡くなっているのが見つかり、自殺の可能性が取り沙汰された。県議は当時、自身のブログで、病院を受診した際に番号で呼ばれたことへの不満を書き込んだ。〈刑務所に来たんじゃない〉〈上得意のお客さんだぞ〉〈会計をすっぽかして帰ったものの、まだ腹の虫が収まりません〉これに対し、直後から批判が殺到し、ツイッターには〈頭のおかしい県議〉〈早く辞職させて〉などの厳しい言葉が並んだ。ブログを閉鎖したが、投稿した画面の画像がネット上を駆け巡り、さらに事務所の所在地や電話番号、メールアドレスもさらされた。

約10日後に「思慮に欠けた不適切な表現を公開した」と謝罪したが、県や県議会にも批判のメールや電話が800件近く寄せられた。周囲に「取り返しのつかないことをした」

などと語り、激しく落ち込んでいる様子だったという。一連の経緯はテレビでも報じられており、SNS上には、県議が亡くなったことを「メディアの責任」と指摘する投稿も少なくなかった。

ネット上の中傷がきっかけで、殺人事件も起きている。18年6月、福岡市の起業支援施設で、ITセミナー講師で人気ブロガーだった男性（当時41歳）がレンジャーナイフで刺され、殺害された。首や胸など30カ所以上を刺され、間もなく40代の無職の男が交番に出頭した。

犯人の男は、ネット掲示板では他の利用者を「低能」「ゴミクズ」などと中傷する書き込みを続けていた。殺害された男性を含む利用者らは、こうした書き込みを運営会社に通報。男のアカウントはたびたび凍結されたが、再取得するという行為を繰り返していた。男は、男性に対して恨みを募らせ、男性を待ち伏せして殺害した。

事件直後には掲示板に〈俺を知る全ネットユーザーの責任だからな〉などと犯行をうかがわせる投稿があった。被害者の男性は「Ｈａｇｅｘ（ハゲックス）」と名乗る有名なブロガーだった。二人は面識がなかったが、男はセミナーの開催日時や場所を事前に把握し、犯行に及んだとみられる。

福岡地裁は19年11月、「強固な殺意に基づく計画性の高い犯行」として男に懲役18年の判決を言い渡した。判決後、男性の妻は弁護士を通じてこうコメントした。

「夫を失って以来、私たち遺族はずっと終わらない地獄の中で暮らしています。夫が願った自由なインターネットの世界は消えてしまうのでしょう」

勝訴しても残る傷と苦しみ

たとえ軽い気持ちで発信されたとしても、攻撃的な批判は、相手の心をえぐっていく。

「このまま電車に飛び込んだら、楽になれるんじゃないか」

東京都在住の柏木ベッカ祐美さん（33）は、通勤途中の駅で電車を待っている時、そんな衝動に駆られた。2年以上にわたって、インターネット掲示板に書き込まれた匿名の中傷に苦しむ中で、死ぬことを考え続けた時期もあった。

中傷のきっかけは、民放キー局のバラエティー番組への出演だった。公募で集まった女性たちが、へき地などに住む男性たちとお見合いする企画。「結婚に縁があるかもしれない」

中傷された投稿の記録や裁判資料を手にする柏木さん。勝訴はしたが、心の傷は消えない＝東京都内で五味香織撮影

と思って応募した。1泊2日のロケを経て、2018年1月、柏木さんが好意を持った男性とカップル成立する様子が放送された。

ある匿名掲示板では、番組の放送中から「実況」として視聴者の感想が書き込まれていった。放送後も出演者の言動や外見へのコメント、カップルになった男女への意見などが続く中、3日後に柏木さんへの中傷投稿が現れた。

〈ヘベッカは性格悪いよ。よく、あそこまで演技できたな。腹黒〉

まるで知り合いのような書き方で、翌日以降も、中傷は毎日のように続いた。

〈あざとい〉〈あたしは、この女、嫌い〉〈ヒステリー持ち〉――。

複数の人が中傷に参加しているように見え、なかには柏木さんをかばうような投稿もあったが、これには、自己弁護しているのではないか、と疑う書き込みが続いた。一連の投稿は約10日間で約30件に上り、やがて別の掲示板にも同じ文面の中傷が転載され始めた。

一体どんな人が何人参加しているのか。柏木さんは、最初に投稿があった掲示板の運営会社にＩＰアドレス（インターネット上の住所に相当する文字列）の開示を求め、ネット上のトラブルに詳しい小沢一仁弁護士に依頼し、相手を特定する手続きを進めた。

「知り合いなら、なぜ直接言わず、わざわざネットに書き込むのか。卑劣だ」

相手が誰か分からないため、怖さと不安に襲われた。何度も掲示板を開いてしまい、眠れない夜が続いた。中傷が始まってから半年たった頃、友人の勧めで心療内科を受診し、抑うつ状態と診断された。

誰が何のために投稿しているのか知りたかった。特にひどい言葉の投稿に絞って発信者の開示請求をし、判明した発信元はいずれもある企業だった。小沢弁護士が示した会社資料を見ると、その役員の名前に見覚えがあった。通っている東京都内のお寺の檀家で50代の女性。個人的な付き合いはなかったが、お寺の行事で面識があった。

この女性は、複数の人が参加しているように見える一連の投稿は、すべて自分の投稿であると認めたが、謝罪はなかった。テレビ番組を見て「チヤホヤされていて」不快感を抱いたのが動機だったという。柏木さんは慰謝料を求めて損害賠償請求し、刑事告訴もした。しかし、周囲からは「許してやれ」と諭された。「テレビに出たのがいけない」とまで言う人もいた。心身ともに疲弊しネットで自殺の方法を調べることもあったが、踏みとどまった。

離れてブラジルで暮らす家族からも中傷被害のことを心配され、「そばにいてあげられなくてごめんね」と母親に電話口で泣かれた。結果的に家族まで巻き込んでしまったことがつらかった。柏木さんは法廷で「私と同じように傷ついている人は、世の中にたくさんいると思います」と、悪意ある中傷投稿がなくなるよう願いを込めて裁判官に思いを語った。

東京地裁は20年6月、投稿した女性に対し、慰謝料など120万円の支払いを命じた。勝訴したとはいえ、苦しみは癒えない。一部の掲示板には投稿が残り、「何か書かれるだけのことをしたのだろう」という勝手な臆測を呼ぶ恐れはある。柏木さんは「物事を前向きにとらえることが難しくなった」と話し、好意的に接してくれる人でも「他人に見せている顔と違う面を持っているのではないか」と疑念を持つようになったという。

相手に理があると錯覚

ＳＮＳ上の誹謗中傷によって精神的に追い詰められ、最悪の場合、死に至る場合もある。一体、どんな心理状態に陥るのだろうか。

自身も匿名掲示板やツイッターで批判を受け、炎上した経験がある精神科医の香山リカさんに話を聞いた。香山さんが初めてネット上で誹謗中傷を受けたのは、15年ほど前のことだ。ある匿名掲示板で、自身の出自に関するデマが多数書かれているのを見た。

既に診療の傍ら言論活動をしており、著書の内容に対する批判的な手紙や電話が職場に来ることは時折あった。ただ、ネットの書き込みは印象が全然違った。「こんなに私のことを嫌いな人がいるんだ」と感じ、次第に「みんなが私を嫌がり、否定的な感情を持っている」という思考に陥ったという。

当時香山さんは、プロレスが好きで観戦にもよく行っていた。しかし、それを知る人たちから掲示板に〈あんなやつがファンだと迷惑だ〉〈プロレスのイメージが下がる〉などと書かれると、「そうなんだ」と素直に受け止めてしまったという。実際、一時は観戦に行くのをやめてしまった。

なぜネット上の誹謗中傷は心に刺さるのだろうか。香山さんは「距離の近さ」を挙げる。

「特に若い人はスマートフォンでＳＮＳを利用する人が多く、アプリケーションを開けば投稿がすぐ見られるので、自分の手元にダイレクトに届く感覚があり、恐怖心が高まります」

郵便受けに届き、目にするまでの過程にクッションがある手紙とは、負担の重さが違うのだという。さらにツイッターでは、「いいね」やリツイートの数が画面上で明示されることも要因となる。

「自分を非難するのは一人でなく、これだけたくさんの人が同じ気持ちなんだと思ってしまう。自分対多数という構図だと錯覚し、より強い恐怖を感じるのです」

香山さんは、海外のある学者がヘイトスピーチを「顔面に平手打ちをくらうようなもの」と表現したことを引き合いに出し、「誹謗中傷も同様で、自分の存在を否定するようなひどい言葉を浴びせられると、人はショックのあまり頭が真っ白になって思考停止し、沈黙してしまう」と語る。中傷や批判を繰り返し浴びるうち、だんだんと「相手の言っていることに理があるのではないか」という思考回路になってしまうというのだ。

なぜ人は理不尽な言葉を正しく感じてしまうのだろうか。

「誰しも自信満々で生きている訳ではなく、いろんなことで不安や悩みを抱えています。そこにショックな言葉が来ると、その不安が強くなり、精神的にぐらついてしまうのではないでしょうか」

普段から患者の精神状態や傾向を冷静に判断し、的確に対処法を示すはずの精神科医ですら自身の精神状態を客観視できなくなり、バランスを崩してしまうのである。

「見なければいい」ができない心のメカニズム

ネット上の誹謗中傷への対処方法として「見なければいい」「気にしなければいい」という見方があるが、現実には難しいようだ。第1章でスマイリーキクチさんは、ネット上の暴言を「スープに入ってきたハエ」に例え、支持や応援が大半でも、批判が気になると語った。唐澤貴洋弁護士も、「何が書かれているか気になり、インターネットを見ずにいられなかった」と証言する。これはどういう心の働きによるものだろうか。

インターネットとストレスの関係を研究している明治大学の岡安孝弘教授（健康心理学）

によると、人は特定の物事を考えないようにすればするほど、かえってそのことが頭から離れなくなってしまう傾向（思考抑制の逆説的効果）や、仮にポジティブな経験とネガティブな経験が同程度の量であっても、「ネガティブな経験ばかりしている」ととらえてしまう傾向（選択的注目）があるという。

これらを踏まえ、岡安教授は「ネット上の誹謗中傷にとらわれてしまうのは、少数であってもネガティブなコメントに『選択的注目』してしまい、それを忘れようとすればするほど忘れられなくなるという『思考抑制の逆説的効果』の状態にはまりこんでしまっていると考えられます」と指摘する。

こうした思考回路によって抑うつ傾向が強まると、さらに四六時中、ネガティブな思考を続けてしまう「ネガティブ思考の反すう」が起きる。ＳＮＳを見ないようにするなどの遮断行為を取ることも難しくなる。反すうしているうちに、「自分が想像しているよりもひどいコメントが書き込まれているのではないか」と不安になり、不安を解消するために見ざるを得なくなってしまうからだという。不安と確認の悪循環が起こり、この状態が悪化するとうつ病になり、自殺に至ってしまうこともある。

香山さんは追い詰められる人の心理に関し、「特に自分が揺らぎ、自信がない時に誹謗中傷が拡散されたり、大勢が同意したりしている状況が続くと、この世には居場所がないと思ってしまう人もいます」と分析する。

「匿名の投稿であっても、実は知り合いなんじゃないかとか、自分が誹謗中傷されていることをみんな知っているんじゃないか、とだんだん疑心暗鬼が深まる。リアルな生活でも思い詰めてしまうのです」

　1日100件もの中傷を受けた、と書き残した木村花さんは、どれほどのダメージを受けたのだろうか。香山さんは「まだ若く、プロレス選手としてどう活動していくか、芸能活動とのバランスをどうとるか、などいろいろ考え、悩みもあったと思います。そういう中でテレビに出て、その出演シーンに対して中傷され、彼女自身の悩みや揺らぎが大きくなってしまったのではないか」と推測する。

相談できない被害者たち

　ネット上の誹謗中傷やいじめは、対面でのそれと違い、外部からは気づきにくく、本人が悩みや苦しみを打ち明けない限り、知られないケースが多い。

ネットいじめを研究する藤桂《ふじけい》・筑波大学准教授（メディア心理学）が２０１４年にまとめた調査結果がある。対象者はネット調査会社のモニターの高校生や大学生で、過去にネットいじめの被害を受けた経験を持つ約２１７人から回答を得ている。

「自分に関するうわさやうそを掲示板などに書き込まれた」「自身のブログなどに誹謗中傷を書き込まれた」「『死ね』『うざい』などの言葉を直接送られた」などの被害経験が寄せられたが、41・７％は「誰にも相談しなかった」と回答した。

藤准教授は、被害者が感じる「脅威」を三つに分類する。、加害者が特定できないことで周囲の人が信じられず、味方がいないように感じる「孤立性」、常に監視されている気がし、逃げられない気がするという「不可避性」、自分が知らないところで不特定多数の人に知られてしまうと思う「波及性」――だ。

この三つの脅威が被害者を追い込む。

「本来、自分でどうしようもない時は、誰かに相談すべきですが、あまりにも脅威が大きいと相談する気力すら失われてしまいます。自分にはどうにもできないと感じられ、すべてを諦めてしまうのです」

藤准教授は、現実世界でのいじめとネット上のいじめの違いも指摘する。

現実に起きるいじめであれば、それを見ている人など第三者が介入できる可能性があり、逆に物理的に距離を置くこともできる。一方で、ネットによるいじめの場合は、「相手が見えないことからいつまでも頭から離れなくなり、その結果、恐怖や怒り、悲しみといった否定的な感情が増大してしまう」という影響がみられた。

調査は、学校におけるネットいじめが対象で、調査時点より3年以上前の経験について尋ねている。回答者の自由記述では「今もネットを開くのが怖い」「今でも友人を信じられない」という声もあった。藤准教授は言う。

「炎上が収束しても、ダメージは長く続くのです。子どもたちはこんなに苦しい中を生きていたのかと思いました」

きずなという名の依存

では、なぜ苦しい思いをしながらもネットやSNSと距離を置くことができないのか。

橋元良明・東京女子大学教授（情報社会心理学）らが2018年、「SNS依存」についてのネット調査を実施した。対象は、平日に２時間以上、自宅でネットを利用している15～39歳の男女のうち、ＳＮＳを主に利用すると回答した７０９人を対象に実施した。このうち「ＳＮＳのことばかり考えている時間がある」「ＳＮＳを使えないと気分が落ち込む」など、「依存傾向」がある人は65人（９・２％）だった。

さらに依存傾向がある人とない人を分け、回答を比較。ＳＮＳの利用目的に関する質問で、「ストレスや苦痛から逃れるため」「さみしい気持ちをやわらげるため」と答えた比率は、依存傾向がある人がない人を大きく上回った。依存傾向がある人は、抑うつや孤独感、対人依存欲求などの傾向もみられた。

こうした結果に、橋元教授は「リアル社会に居場所をなくした子どもたちが、ネットの社会に飛び込んでいる。ＳＮＳ依存は現実逃避の表れです」と指摘する。一方で、ＳＮＳと距離を置くと、自分が知らないところで誹謗中傷を受けたり仲間外れにされたりすると考えてしまい、利用をやめることができなくなるという。

「現実逃避して見つけた場所なのに、ＳＮＳの中の人間関係を現実のものと同じように捉えてしまう」

依存者にとっても、ＳＮＳ空間が、必ずしも居心地のいい場所になっているというわけではないようだ。

また、調査結果では、依存傾向がある人の方がツイッターのアカウント数やツイート数も多かったという。橋元教授は、複数のアカウントを使う理由について、アカウントによって「違う顔」を見せているのではないかと考えている。

この調査では、「依存傾向」がある人は全体の1割以下と判断された。しかし橋元教授は、自身の依存ぶりを客観視できていない人もいると考え、日本はSNS依存の割合が実際にはもっと高いのではないかとみている。もともと日本は、同調圧力が強く、「ムラ社会」を形成しやすいとされてきた。子どもの頃から外見や属性が違う異質な仲間を排除する傾向が強く、就職活動のリクルートスーツは誰もが同じに見える。地域の女性は、同年代の子どもを育てる母親同士でつながる「ママ友」を形成しがちだ。個性よりも同一性を重視し、仲間であることを確認する流れは現代でも変わらない。橋元教授はこうした傾向を「きずな依存」と表現する。

ＳＮＳは超空気支配社会

人がＳＮＳという居場所を求めた結果、顔の見えない他者との「きずな」に依存する。きずなは、助け合いという意味でプラスに働く場合もあるが、互いを縛る方向に働くと息苦しい。そんな息苦しさについて、近現代史研究者の辻田真佐憲さん（36）と考えたい。辻田さんは、１９７７年刊行の古典的名著『「空気」の研究』（山本七平著／文藝春秋）をベースに「ＳＮＳ空間は、空気によって支配される日本独特の社会を反映している」と語る。

同書は、日本社会は「空気」に支配されており、空気が人々の意思決定を拘束する、つまり今で言う「同調圧力」として機能していると指摘。そこには普通の刑罰とは関係なく、空気に刃向かうこと自体が罪だとする「抗空気罪」や「全体空気拘束主義」が存在すると表現している。

海軍の首脳らが無謀と考えていたのに「全般の空気」で出撃が決まってしまった戦艦大和の事例が挙げられており、辻田さんは「生死に関わる問題も空気で決定されるのです」と補足する。こうした空気は戦時中の特殊なものではない。「明治天皇が亡くなった後も、黒いリボンの喪章の着用をめぐって、つけていない人への嫌がらせがあった」とし、そうした傾向は現在の日本社会にも連綿と続いているという。

顕著に表れたのがコロナ禍における人々の行動だ。辻田さんは「『自粛警察』の動きを見ても、山本の分析が的を射ているのは明らかです」と強調する。自粛期間中に遅くまで明かりがついている居酒屋が攻撃されたり、営業中のパチンコ店に抗議が殺到したりするなどの現象も起きた。新型コロナウイルスに関連しては、電車の中でマスクをしていない人を厳しく取り締まる「マスク警察」と呼べるような行為も起こり、市民社会での相互監視が進んだ。

SNS空間ではどうだろうか。辻田さんは「日本がもともと持っている空気支配を悪化させ、より人々に同調圧力を強いる仕組みになっていると考えます。空気が以前に増して力を持つ『超空気支配社会』と位置づけられるのではないでしょうか」と話す。

「例えば、SNSで今話題になっていることについて、多くの投稿とは逆の意見を言うと、実際に炎上し、場合によっては身元が特定されて、嫌がらせをされる事態になる。そうなると、ちょっと変わった意見を発信するのもすごく難しい」

本来、SNS空間は多様な意見を交換する場であるはずだが、なぜ空気支配が強まるのだろうか。辻田さんは、特にツイッターの機能面の特徴を理由の一つに挙げる。個人のアカウントにダイレクトにメッセージを送ることができ、リツイートや「いいね」など反応が数字ですぐに可視化されるという点だ。

「現実の社会よりも、攻撃的なメッセージを把握しやすく、何が今関心を集めているかというトレンドもつかみやすい。人気や人間関係などリアルな世の中を凝縮して反映しているため、空気拘束もより強化されているように見えます」

さらに辻田さんは、ネット上の空気の移ろいやすさと、それに流される人々に懸念を示す。

「『こいつはたたいていい』という空気ができあがると、ものすごい数の誹謗中傷が飛び交うが、1週間もすれば消えてしまう。人々が一時的な空気に過剰に順応してしまっているのだと思います」

目には見えず、明文化された規範でもないのに、強い拘束力を持つ日本社会独特の「空気」。SNS空間でもその影響力は大きい。それが誹謗中傷や暴力的な投稿という闇にもつながっているのだとすれば、社会の病理と真剣に向き合う必要があるのではないだろうか。

第5章　匿名の刃から身を守る

中傷と闘うため発信者特定の法手続きへ

ネット上で突然、知らない相手から誹謗中傷された場合、悪質な投稿を削除するにはどうすればいいのか。謝罪や慰謝料を求めるにはどんな手続きを踏む必要があるのか……。実際に中傷被害を受け、法的措置をとった経験のある人に話を聞いた。

北海道函館市の科学ライター、片瀬久美子さん(55)が、ツイッターで中傷の投稿を受けるようになったのは2017年7月だった。過去に研究不正をしたなどという、事実無根の「疑惑」を投げかけられたのだ。片瀬さんは企業勤めの後、京都大学大学院で細胞分子生物学の分野を研究し、その後ライターとして活動していた。ツイッターでは、原発事故の風評被害やSTAP細胞などの研究不正問題、「ニセ科学」について発信することが多かった。当時は、安倍晋三首相らの関与が取り沙汰された森友学園や加計《かけ》学園の問題について、〈政府には説明責任がある〉という投稿をしていた。

片瀬さんの意見には反発する人たちからの投稿も多く、その中に〈淫売〉や〈研究不正〉

などの疑惑と称する誹謗中傷があった。同様の投稿は、複数のアカウントから執拗に繰り返された。片瀬さんはその間、ツイッター社に何度も「投稿ルールに違反しているのではないか」と通報したものの、いずれも違反には該当しないとの返答だった。投稿者に対する削除要請や、そのアカウントの凍結などの対応は取ってもらえなかった。

一連の中傷投稿は、書かれた内容などから同一人物が複数のアカウントを使って投稿していると考えられたという。中傷は18年春には、片瀬さんの家族のことにも言及する内容になった。「これは許せない。きちんと対処したい」と思い、弁護士に依頼して発信者特定の法的手続きに踏み切った。

18年5月、東京地裁は、ツイッター社に対し、発信者がログイン時に使ったＩＰアドレスの開示を命じる仮処分決定を出した。片瀬さんは、それを踏まえて北海道警に被害届を出し、約1年間の捜査を経て相手が特定された。見知らぬ埼玉県在住の60代男性だった。

次に男性に慰謝料などを求め、さいたま地裁に提訴した。しかし、相手は反論も出廷もしないまま訴訟が終結。19年7月、片瀬さんの請求額と同額の約２６０万円の損害賠償と謝罪文を出すように命じる判決が出た。過去の判例からすると、かなり高額の賠償命令だっ

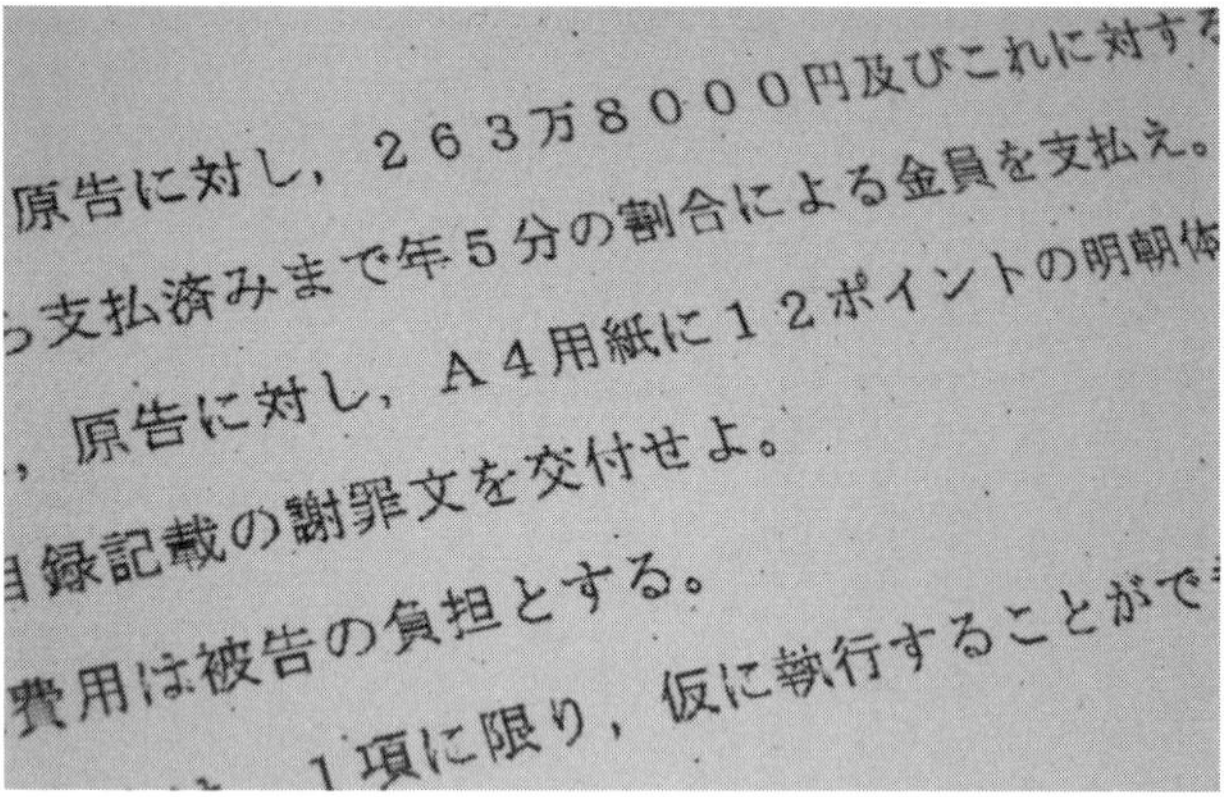
原告に対し，２６３万８０００円及びこれに対す
ら支払済みまで年５分の割合による金員を支払え。
，原告に対し，Ａ４用紙に１２ポイントの明朝体
目録記載の謝罪文を交付せよ。
費用は被告の負担とする。
１項に限り，仮に執行することがで

片瀬久美子さんを中傷した男性に賠償金の支払いと謝罪文の作成を命じた判決文＝五味香織撮影

たが、1年がたった今も相手からは一切支払いがなく、謝罪文も届いていない。

片瀬さんの場合、発信者の特定や刑事告訴、損害賠償請求訴訟の弁護士費用などで合計100万円ほどの費用がかかり、支払いがなければ勝訴しても「赤字」だ。相手の財産を差し押さえる方法もあるが、どれくらいの財産を持っているのか調べるだけで、新たな手続きや弁護士費用がかかり、回収できる保証もない。

「いまだに賠償金も支払われていませんが、判決そのものに賠償金に相当する価値があったのだと割り切って考えるようにしています」

埼玉の男性について、片瀬さんは損害賠償請求に加え、相手を名誉毀損罪で刑事告訴も

したが、不起訴になった。

「相手が全く知らない人だと、どこに潜んでいて、何をしてくるかも分からない」

孤独な闘いを強いられてきたが、片瀬さんは、自身の裁判などの経過をツイッターやブログで積極的に発信している。誹謗中傷する相手との裁判闘争は、費用だけでなく精神的な負担も大きく、法的対処を諦めて泣き寝入りしている人たちが多いと考えているためだ。

「誰かの役に立てれば、お金ではない形で裁判の意味があったと思えます」

毎日大量の批判「世界全体から中傷されているかのよう」

「はるかぜちゃん」の愛称で知られる女優・声優の春名風花《ふうか》さん(19)も悪質なネット中傷の被害に遭ってきた一人だ。約10年にわたって被害を受け、2020年1月、ネット上で中傷を繰り返した男性を相手取り、損害賠償を求めて横浜地裁に提訴。7月に中傷の投稿をしてきた相手と示談に至ったことを公表した。相手が投稿したことを謝罪する一方、刑事告訴の取り下げなどを条件とし、示談金315万4000円を支払うという内容だった。

子役として活動していた春名さんが、ツイッターを本格的に利用するようになったのは小学生の頃だ。現在は13歳未満は利用できないが、当時は年齢制限がなかった。10年12月、東京都青少年健全育成条例が改正され、漫画やアニメの性描写が規制されることになった。出版社や作家らが抗議の声を上げる中での条例改正だった。春名さんは自分が大好きだった作品も規制対象になると考え、ツイッターで抗議し、「子どもでも自分で読む作品を選ぶことができる」との思いを訴えた。フォロワーは急増したが、同時に〈子どものくせに〉という批判的な投稿もたくさん寄せられるようになった。その後、出演したバラエティー番組では、事前の打ち合わせ通りの毒舌を放つと、ツイッター上には〈死ね、死ね、死ね…〉〈ドラム缶に詰めて殺したい〉などの悪質な投稿があふれた。

「10の褒め言葉があっても、一つの否定的な言葉に傷つく」「ブス、バカ、死ねなど、単純な言葉でも、毎日何百件も寄せられると、世界全体からそう思われているように感じられてしまう」

心は次第に擦り減った。

「著名人は批判されても仕方がない」という意味で、誹謗中傷は「有名税だ」と指摘されることもあるが、春名さんは「批判と、悪意を含む誹謗中傷は違う」と断言する。警察に何度も相談したが、「芸能界をやめれば」とも言われ親身に応じてもらえなかった。

「もう裁判しかない」。18年末、「両親自体が失敗作」などと投稿した人物について、発信者情報の開示請求手続きに踏み切った。約1年間かけて相手の氏名や住所が判明し、慰謝料を求める民事訴訟を起こし、名誉毀損罪と侮辱罪で刑事告訴した。

「罪を罪だと認めてもらうために、なぜこんなに時間とお金がかかるのだろうか」

やるせない気持ちでいっぱいになった。

当初、相手は慰謝料の支払いを拒み、投稿を反省している様子も見せなかったが、警察が捜査に動き出した直後、示談の申し入れをしてきた。示談成立後、春名さんはユーチューブで、「お金の問題よりも、社会的に罪を償ってほしいという気持ちで裁判をしていた」「後の人々のために一つでも多く判例を作るべきだという思いもあった」などと語った。

しかし、SNSでは示談に対し、〈悪口言われただけで315万〉などと心ない書き込みをされた。春名さんはそうした投稿に対し、記事投稿サイトで〈いくらお金を積まれても、傷はなおらないし、記憶も消えない〉〈こんな思いしなくて済むなら、その方がよっぽど幸せに決まっている〉と反論した。

春名さんは示談の前、取材に「裁判を通して、ナイフみたいな言葉を気軽に発する人が減ってほしい」と語っていた。裁判は終結したが、現実は春名さんの願いからはほど遠い。

刑事と民事で加害者の責任を追及

ここで、ネット中傷に関連する法的手段を改めて整理したい。

相手に法的責任を問う方法には、主に警察に対して被害届や告訴状を出し相手に刑事罰を科す刑事手続きと、損害賠償請求訴訟などで慰謝料を請求する民事手続きがある。

刑法上は、「誹謗中傷」という犯罪はない。一般的に、誹謗中傷は「名誉毀損罪」「侮辱罪」の適用が考えられ、度を越え危害を加えようとする意思が明白であれば「脅迫罪」、企業や団体の業務を妨害しようとしているなら「業務妨害罪」にあたる。

名誉毀損罪と侮辱罪では、名誉毀損の方が刑罰は重いが、成立させるには、「相手が具体的な事実（虚偽も含む）を示し、社会的評価が下がるであろう表現をされた」ことを証明する必要がある。具体的な事実を伴わない「能なし」「不細工」などの悪口では、侮辱にあたる可能性はあっても、名誉毀損にはあたらない。

現実には、誹謗中傷による名誉毀損は、前述の片瀬さんのように不起訴で終わるケースが多く、一般に立件のハードルは高いとされる。ただし、最近は積極的に捜査、起訴される傾向が少しずつ出てきており、ネット上のトラブルを多く手掛ける深澤諭史弁護士は「社会的にネット上の誹謗中傷が注目され、問題視されている影響があるのではないか」と指摘する。

民事手続きにも高いハードルがある。ネットの中傷の場合、投稿の多くが匿名であり、まずは相手を特定したうえで、損害賠償を請求する必要がある。一般的に、発信者の特定のために2回、損害賠償請求に1回の計3回の裁判を経る必要があるとされ、手続きは実に煩雑だ。

2001年に制定された「プロバイダ責任制限法」の第4条には、「情報の流通によって自己の権利を侵害された」場合、SNS事業者などに対し、発信者（投稿者）情報の開示を請求できると規定されている。

①投稿が書き込まれたコンテンツプロバイダ（ネット掲示板の運営管理者やSNS事業者など）に対し、発信者のIPアドレスや投稿時間の開示を求める。
②得られたIPアドレスや投稿時間などをもとに、アクセスプロバイダ（インターネットの接続事業者）に、発信者の氏名や住所の開示を求める。

コンテンツプロバイダは、発信者の氏名や住所などの情報を持っていないことが多いため、こうした2回の手続きが必要になる。

投稿が被害を申し立てた人にとっての「明白な権利侵害」にあたるのか、判断が難しい場合も多い。投稿単体ではなく、前後のやりとりの文脈の中で意図をくみ取ったり、文化的、歴史的背景を踏まえたりする必要があるためだ。安易に発信者の情報を開示すれば、今度は開示された発信者からプロバイダが責任を問われかねない。そのため、プロバイダ側は任意の開示請求に応じないことが多く、①と②それぞれで、仮処分の申し立ても含め、裁判所の判断を仰ぐのが一般的な流れになっている。

権利侵害や名誉毀損の判断は難しい。一つ一つの投稿に違法性があるとまでは言えないものの、攻撃的な書き込みが集中する「炎上」の場合は、より困難だ。被害者が大量の攻撃的な投稿によって、重い精神的負担を負っても、単体としての書き込みの悪質性が低ければ法的責任は免れてしまうのだ。

普通の人に損害賠償請求は無理!?

損害賠償請求の前段階である発信者特定の手続きには課題が多い。プロバイダが海外事業者の場合、情報開示請求のための訴状が相手側に届くまでに半年以上かかる場合がある。また、特定の最初の足掛かりとなるネット上の「住所」ともいえるＩＰアドレスについては、投稿時のＩＰアドレスをＳＮＳ事業者などが記録・保存していなかったり、接続業者が特定のＩＰアドレスを複数の契約者に使い回しで割り振っていたりするため、発信者にたどり着けないケースもある。

さらに、一部のアクセスプロバイダが保有するＩＰアドレスなどの接続記録（ログ）は、一定期間が過ぎると削除されてしまう。ログが消去されると、発信者の特定、責任追及は不可能だ。

さまざまなハードルを乗り越え、発信者を特定してようやく損害賠償請求の入り口に立つことができる。ただし、賠償金の相場は一連の被害者側の負担と比べても軽いのが現状だ。たとえ勝訴しても法的手続きに伴う弁護士費用を回収できないケースは多い。

一方、悪質投稿の削除についても課題がある。事実無根の内容やプライバシーを侵害するような投稿を一刻も早く消したい時は、ネット掲示板の管理者やSNS事業者などのコンテンツプロバイダに対して、投稿の削除を請求するのが一般的だ。ウェブサービスによっては、削除依頼フォームが用意されている場合もある。請求先が分からない場合や、請求しても削除に応じてもらえない場合は、総務省が委託運営する「違法・有害情報相談センター」や法務局の人権相談窓口などの相談機関もある。

ただし、権利侵害が明白でないと判断すれば、コンテンツプロバイダ側は削除請求に応じない。

その場合、裁判所への削除請求仮処分（民事保全手続き）の申し立てや削除請求訴訟の提起など、ここでも裁判手続きが必要になる。さらに、投稿が削除されれば、投稿者の特定に必要なＩＰアドレスなどの「証拠」が消えてしまうため、その後の責任追及のためには、自分で証拠保存する必要がある。

『インターネットと人権侵害』（武蔵野大学出版会）などの著書がある佐藤佳弘・武蔵野大学名誉教授（社会情報学）は「インターネットは20年以上にわたって使われてきたが、当初から人権侵害の問題があった。多くの被害者が苦しんでいるのに、国は『現行法で対応できる』として放置してきたのです」と指摘する。

プロバイダ責任制限法の規定について「書き込みの削除申請や発信者情報の開示が『できる』ことになっているが、実際はできないに等しい。莫大《ばくだい》な費用と時間がかかり、普通の人には無理です」と強調する。悪質な書き込みに苦しむ人が、被害や名誉を回復するのにあたり、経済的、精神的負担を背負うのであれば本末転倒である。

被害者救済のための制度改正の行方

木村花さんの死をきっかけにネット上の誹謗中傷問題がクローズアップされるようになると、国や政界も動き出した。

花さんが亡くなった3日後の5月26日、高市早苗総務大臣は閣議後の記者会見で、「匿名で他人を誹謗中傷する行為は人として卑怯《ひきょう》で許しがたい」と述べ、発信者の特定を容易にする制度改正などの対応を「スピード感を持って行う」と語った。

制度改正を既に議論していたのが、総務省の「発信者情報開示の在り方に関する研究会」だ。情報法やネットトラブルに詳しい弁護士や憲法の「表現の自由」に詳しい法律家による有識者会議で、2020年4月に設置された。プロバイダ責任制限法で定められた発信者情報開示制度を見直し、ネットトラブルの被害者にとって最初の高い壁となる発信者の特定を簡素化することで、被害者救済を進めることが目的だ。花さんの死と直接の関係はないとはいえ、盛り上がる世論を背景に、研究会の議論は加速している。4月から7月までに計4回の会合が開催され、7月10日に中間とりまとめ案が示された。

とりまとめ案の主なポイントは次の2点だ。

一つ目は、新たに発信者の電話番号を開示対象に追加するよう総務省令を改正する点だ。電話番号がコンテンツプロバイダ（SNS事業者など）から開示されれば、弁護士を通じて電話会社に発信者の氏名や住所を照会することができる。発信者の電話番号が分かれば、アクセスプロバイダに対する氏名や住所の開示請求は不要となり、開示手続きが1回で済むケースが増えると予想される。

電話番号の開示を巡っては、すでに司法の判断が先行している。男子高校生（当時）が、自分になりすましたツイッターのアカウントを開設されて写真を掲載されたとして、ツイッター社に開設者の情報開示を求めた訴訟で、東京地裁は20年6月26日、携帯電話番号の開示を命じた。原告代理人を務めた神田知宏弁護士（第二東京弁護士会）は「司法も電話番号を開示すべきだと判断し、発信者特定の道が広がった。省令が改正されれば、今回のような争いをしなくて済む」と評価する。

二つ目は、「新たな裁判手続き」創設の検討だ。具体的には、発信者情報を開示すべきかどうかについて、被害者の申し立てを受けた裁判所が、プロバイダの代わりに権利侵害の有無などについて判断・決定するものだ。通常の訴訟よりも簡素化された手続きが想定されている。

ただ、こうした新たな仕組みに関しては、研究会のメンバーからは「実質的に匿名表現の自由の保護レベルを下げることになるのではないか」といった懸念の声が上がった。これまでの情報開示を巡る裁判では、プロバイダが発信者側の意見を代弁する役割を果たしてきた側面がある。仕組みが変わっても、発信者側の言い分をどう反映するかが課題だ。

一方、発信者情報の開示手続きを簡素化することで弊害も懸念される。自社に都合の悪い情報を投稿された企業や、批判的な投稿をされた権力者が、人物を容易に特定するようになり、制度を乱用する恐れがあるからだ。中間とりまとめ案では、こうした懸念を踏まえ「発信者の利益擁護及び手続き保障が十分に確保される裁判手続きの実現を図る必要がある」との文言が盛り込まれた。

研究会は一般からの意見公募を踏まえ、年内にも最終報告書を取りまとめる予定だ。

進行中のネット規制の議論は主にSNSや匿名掲示板を想定したものだが、今後は新聞やテレビを含めネットで展開するメディア全般に規制の議論が広がっていく可能性もある。日本新聞協会は20年7月22日、意見公募に寄せ、声明を発表。「被害者救済と表現の自由とのバランスを意識した慎重な議論が欠かせず、法的規制の導入に抑制的な基本姿勢を示した対応案の方向性を評価する」とした一方で、「匿名でなされる誹謗中傷がこの問題を深刻化させている一方、匿名の言論空間の存在が社会に有用な批判や批評を生む側面があることにも留意して、検討を深める必要がある」とした。

政界のスピード対応と一抹の不安

政界、特に与党の反応も早かった。自民党は２０２０年5月26日、三原じゅん子参院議員を座長とするプロジェクトチーム（ＰＴ）を発足させ、誹謗中傷対策の検討を始めた。三原議員はＰＴの初役員会後、「ネット上の誹謗中傷が無法地帯化していると言っても過言でない。批判と誹謗中傷はまったく違うと示していく」と語った。

自民党PTが6月11日付でまとめた提言では、発信者情報開示制度の見直しに加え、権利侵害にあたる情報をプロバイダが迅速に削除できるような制度改革や法務省の人権擁護機関の体制強化、ネットリテラシーの理解促進などが幅広く盛り込まれた。「明治以来の侮辱罪の法定刑の見直し（ネット被害による新類型を含む）を行うとともに、いわゆる『ネットリンチ』のような集団での誹謗中傷や名誉毀損等の悪質事案について、事案の実態に即した積極的な捜査と適正な科刑の実現を図る」と、刑事罰の強化にも触れている。公明党も6月23日付で、高市早苗総務大臣と森まさこ法務大臣あてに、刑事罰強化の検討を含めた提言を提出している。

座長の三原議員は、毎日新聞への寄稿で「批判を封じることと、誹謗中傷をさせないこととは全く別のことでなければならない。とりわけ政権や政治家への批判は、我々政治家が受け止めるべき良いものだし、無くなってはならないものだ。それが良いネットの使い方だ。そこは一番、気をつけなければならないし、皆さんにお約束したい」と述べている。

三原議員は女優、歌手、カーレーサーなどを経て10年の参議院選挙で初当選し、現在は自民党女性局長を務める。安倍首相に近い存在でも知られ、19年6月、首相の問責決議案への反対演説で野党に対して「愚か者の所業」「恥を知りなさい」などと発言。同年11月にはツイッター上で「政権を握っているのは総理大臣だけ」などと首相の「独裁」を肯定するような発信をした。外部からの批判に不寛容で、権威主義的な姿勢が垣間見える議員の一人でもある。

規制強化を求める世論を受けて即座に政権与党が動き出したことには、不安視する見方もある。辛口の権力批判で知られるジャーナリストの青木理《おさむ》さん(53)は、「何が誹謗中傷なのか政府や当局側が判断することになれば、非常に恣意的になる危険があるでしょう」と指摘。「安倍政権について、私はテレビなどで『無能』とか『ポンコツ』と評してきた。特に首相ら権力者に対しての表現はできるだけ幅広くあるべきで、私は論評の範囲内だと思っているけれど、場合によってはこれも誹謗中傷と判断されかねません」と懸念を強める。「民主主義の根幹である言論、表現の自由に関わるということを踏まえ、注意深く眺め、慎重に議論すべき問題だと思います」

表現の自由はどう守られるのか

被害者救済を狙いとした規制策が議論される中、「表現の自由」をどう守っていくのか。武蔵野美術大学の志田陽子教授（憲法学）は「政治に対しての冷静な感想や意見や権利主張は、最大限言論の主張が保障されるべきもの。それらが名誉毀損や侮辱など悪質言論の規制に巻き込まれることがあってはなりません」と語る。

志田教授が念頭に置くのは、名誉毀損罪における「免責事由」だ。名誉毀損を巡っては、①公共の利害に関する事実について、②公益を図る目的で、③示された事実が真実である、と証明された場合には違法性がなく、仮に示された事実が真実でなくても行為者が真実と信じる相当の理由がある場合には、不法行為は成立しないとされている。仮に投稿によってその人の社会的評価が低下したとしても、それが公共の関心事であり、十分な根拠に基づいて発信した場合は、結果的に内容が間違っていたとしても法的責任を免れるという意味だ。

一方、志田教授はこうも語った。「『言論規制になるからダメ』といった単純な議論はできません。表現の自由を守るためにこそ、人の尊厳を傷つける発信や差別的な投稿への対処を真剣に考えるべき局面だと思います」。憲法学者としてはいささか規制側に踏み込んだ主張のように聞こえたが、続けてこう語った。

「ネットを含めた表現空間は当然自由であるべきですが、悪質な物言いを怖れてもう萎縮しているのが現状です」

確かにそうかもしれない。「こんな言葉を使ったらネット上でたたかれるかもしれない」との不安から、投稿前に書いたツイートを消した経験は、誰にでもあるだろう。個人の投稿に対する過激な批判がネット上にあふれ、攻撃を受けないような無難な物言いをしようと自然と自己規制をかけていく。そんな萎縮の流れは既に進んでいる。

ナイジェリア人の父を持つプロ野球「東北楽天ゴールデンイーグルス」のオコエ瑠偉《るい》選手が20年6月、自身のルーツに絡む幼少期のつらい体験をツイッターで発信して話題になった。内容の重みと同様に記者の目を引いたのは、「おんなじ境遇の人、またその両親の少しでも励みになればと思い、炎上覚悟で投稿します」というオコエ選手の言葉だった。

ある種の意見や体験を語る時、それが反社会的な内容でなくとも「炎上」を覚悟しなければならないという圧力が、すでにネット上の言論空間には存在している。「表現の自由」

は民主主義社会の根幹だ。

萎縮した状況を回復させるには何が必要か。志田教授は「まずは被害者自身の『泣き寝入りしない』という決意と民間業者の協力が重要で、次にどうしても必要な場合にだけ法的規制という段階を踏むべきです」と語る。

ネット上のヘイトスピーチに対抗するには

「表現の自由」との兼ね合いの中で、長い間、野放しにされてきたヘイトスピーチ（増悪表現）も、ネット中傷の問題を考えるうえで外すことはできない。ヘイトスピーチは人種や民族を理由に差別的な言動を展開する人権侵害行為で、許されるものではない。だが、特定の個人ではなく、在日朝鮮人など「不特定多数」が対象であるがゆえに、名誉毀損罪や侮辱罪が適用されず、取り締まられてこなかったという側面がある。

国は2016年、ヘイトスピーチの解消をうたった「ヘイトスピーチ対策法」を施行。だが、禁止条項や罰則の規定はなく、理念法にとどまっている。法成立時に衆参両院の法務委員会で「インターネットを通じて行われる本邦外出身者等に対する不当な差別的言動を助長し、又は誘発する行為の解消に向けた取組に関する施策を実施すること」という付帯決議がされたが、具体的な対策は進んでいない。

川崎市では20年7月、公共の場でヘイトスピーチを繰り返す行為に最高50万円の罰金を科す条例が施行された。戦前からの工業都市である川崎市には、在日コリアンが多く住んでいる。全国でヘイトスピーチが激化した13年以降、市内でもヘイトデモが繰り返し行われてきた。刑事罰を定めた法令は全国初で、抑止力を期待する声も上がるが、この条例でもネット上のヘイトスピーチは罰則の対象外になっている。

こうしたネット上の人権侵害について対処しようと、弁護士や研究者らでつくる「ネットと人権法研究会」は19年12月、「インターネット上の人権侵害情報対策法モデル案」を公表した。モデル案では「名誉毀損」「プライバシー侵害」「差別的言動」の禁止を明記。差別的言動については「人種、皮膚の色、民族的若《も》しくは種族的出身、国籍、世系《せいけい》若しくは社会的身分、性別、性的指向、性自認、又は障がい若しくはハンセン病歴の有無」を理由とするものと規定し、ヘイトスピーチ対策法よりも定義を広げた。また、プロバイダ側の責務として、こうした「人権侵害情報」をネット上に流さないことや、人権侵害情報を投稿した発信者の特定に関わる情報を3年間保存することなどを定めた。

さらに、「ネットと人権法研究会」は規制という名目で「表現の自由」が侵されることがないよう、内閣府に第三者機関「インターネット人権侵害情報委員会」を設けることを提案。被害者から申し立てを受けた委員会が、代わりにプロバイダ側に投稿削除や発信者開示の要請、関連調査を行うことができる、とした。第三者機関から要請を受けたプロバイダは、48時間以内の投稿削除または削除しない場合の理由の明示、2週間以内の発信者情報開示または開示しない場合の理由の明示に応じなければならない――という内容だ。

研究会メンバーの宮下萌弁護士（東京弁護士会）は、「モデル案が最優先にしたのは、ネット中傷被害者の負担軽減です」と強調する。

「総務省の議論は情報開示が先行していますが、被害者が求めているのは、拡散防止のための一刻も早い投稿削除。そして裁判手続きによる心身と経済的な負担をなくすこと。そのためには、プロバイダ事業者側による投稿削除に時間がかかり、実質的に裁判所の判断に委ねられている現状を変えなければいけません」

研究会は20年秋の臨時国会に向けて議員への働きかけを強めていく予定だという。

「与野党が一致して、実効性のある法律の成立を目指してほしい。最近では、人権侵害について適切な対策を取らないＳＮＳ事業者に対し、大企業が相次いで広告を取り下げています。人権侵害に対する世論の厳しい目も後押しとなるのではないでしょうか」

ＳＮＳ事業者の試行錯誤

ネット上の誹謗中傷に関し、ＳＮＳ事業者はどんな対応を取っているのだろうか。

ツイッター社は世界共通の基準として、暴言や脅迫、差別的言動の禁止を明記した「ツイッタールール」を規定している。相手に身体的危害を加えることを示唆したり、人種や民族などに基づく差別・偏見を助長させたりする投稿（ヘイト行為）に関しては、主に利用者からの通報をもとに、投稿の削除やアカウント凍結などの強制措置をとっている。

２０２０年3月には、禁止する「ヘイト行為」の範囲を拡大。人種、民族、出身地、社会的地位、性的指向、性別などの差別のほか、「年齢、障がいや病気にもとづいて人間性を否定する言葉」も削除対象とした。

問題となる投稿の事例として「（疾患）患者は、周囲にいるすべての人々を汚染する害獣だ」、「（障がい）の人々は人間未満であり、人前に出すべきではない」などを挙げている。

また、ツイッター社は20年8月、投稿者側がリプライ（返信）を限定できる仕組みを導入した。自分をフォローしているアカウントや、自分がツイートの中で言及したアカウントのみがリプライできるよう、投稿時に選択が可能になり、不特定多数からの攻撃的なリプライが減るとみられる。

悪質投稿の削除やアカウント凍結などの対応が不十分だとの声もあるが、ツイッター社は、一般利用者からの通報件数や投稿削除・アカウント凍結に至った割合は公表していない。

ツイッター・ジャパンの服部聡・公共政策本部長は20年6月、毎日新聞のインタビューの中で、「当該ツイート（投稿）だけでなく、前後の会話や本人同士の関係性もある。一般論として（事業者側の）免責事項があったとしても、権利侵害の有無を判断するのは困難」と指摘。「表現の自由の観点からも裁判外の任意開示は難しい」と語っている。

業界も手をこまねいているわけではない。LINEやツイッター、フェイスブックの日本法人など各SNS事業者は20年4月、一般社団法人「ソーシャルメディア利用環境整備機構」を設立。木村花さんが亡くなった直後の5月26日には、「禁止事項の明示と措置の徹底」や「健全なソーシャルメディア利用に向けた啓発」などを掲げた緊急声明を表明した。

整備機構の代表理事で、総務省の「発信者情報開示の在り方に関する研究会」の座長も務める曽我部真裕・京都大学教授（情報法）は、「影響力が大きいSNSについては、事業者側が社会的責任として対策を講じていかなければならない。取り組みに透明性を持たせ、社会の理解を得る努力も求められる」と指摘。「自主的努力で適切に対処できなければ、諸外国のように法規制の議論が出てくるかもしれません」と警鐘を鳴らす。

安心の環境作りに企業は何ができるのか

試行錯誤を続けているインターネット事業者もある。ヤフーなどが主導して2013年に設立した「一般社団法人セーファーインターネット協会（SIA）」は、警察庁から業務委託された「インターネット・ホットラインセンター」や独自の窓口「セーフライン」で、ネット上の違法情報や有害情報についての通報を受け付け、警察への通報やプロバイダへの削除要請などを請け負ってきた。

スタッフによるネットパトロールも含め、18年に把握した違法・有害情報は58万257

０件に上った。８割近くを占めるわいせつ画像や児童ポルノなどは違法性が高く通報などの対策を取りやすい一方、ネット上の誹謗中傷は、個人間トラブルにとどまるものや違法性が低いものも含まれ、どこまで踏み込んで対応するかが難しいという。プラットフォームはあくまで投稿者の「表現の自由」を重んじる立場であるためだ。

20年６月末には、ネット上の誹謗中傷に悩む一般の人からの相談を受け付け、投稿の削除依頼を代行する窓口「誹謗中傷ホットライン」を開設した。窓口には開始当初の６月29日〜７月15日の約２週間で延べ２８０件の相談が寄せられた。特定の個人に向けた内容であること、明らかに公共性がないことなど、一定の基準を満たした投稿について削除依頼を請け負うとしたが、対象は２８０件のうち52件（19％）にとどまった。

一方、国も踏み込んだ対応策を示した。総務省の有識者会議「プラットフォームサービスに関する研究会」が20年８月、緊急提言をまとめ、ＳＮＳの運営事業者などに、削除要請への迅速な対応や、一定期間に大量の中傷が投稿された場合には自動検知して一時的に非表示にする仕組みの検討などを提言した。

違法とまではいえない中傷については、被害者への心理的ダメージが大きいにもかかわらず、法的措置をとることは難しい。事業者側からは「中傷と正当な批判の境界線は明確でない事例も多く、事業者に過度に積極的な対応を促すことは正当な表現を萎縮させかねない」（ヤフー）という懸念もあるが、事業者の自主的取り組みへの期待は大きくなっている。

SNS中傷に苦悩、自殺相次ぐ韓国

誹謗中傷などネット上の悪質投稿に対し、海外ではどう向き合っているのだろうか。

隣の韓国では2000年代以降、ネット上の中傷を苦にした著名な歌手、俳優らの自殺が相次ぎ、長く社会問題となっている。最近でも19年10月に女性アイドルグループf（x）の元メンバーのソルリさん（当時25歳）が自ら命を絶ち、さらにソルリさんの親友で女性グループKARAの元メンバーのク・ハラさん（当時28歳）が11月に亡くなった。韓国メディアによると、どちらも私生活や容姿に関し、SNSやニュースポータルサイトへの悪質な書き込みが続いていたことに悩んでいたとされている。

激しいSNS中傷が起きる背景に何があるのか。韓国の芸能界やSNS事情に詳しい法政大学の朴宗玄《パク・チョンヒョン》教授（都市地理学）に聞いた。

「韓国ではネットやスマホが比較的早く普及し、日本と比べ、より激しい言葉で相手を徹底的に攻撃します。さらに、中傷が激化する背景には『ファンと芸能人の距離の近さ』と『完璧なものしか許さない傾向』の二つの点があります」

朴教授によると、韓国では、たとえ芸能人であってもファン側は身近な存在と見る傾向があり、街中で芸能人がファンからサインや握手を求められ、無視すると「あいつは偉そうだ」としてネット上に批判が書き込まれる。だから、芸能人もSNSなどの書き込みに敏感になってしまうのだという。2点目については、熾烈《しれつ》な競争社会で知られる韓国では、テレビなどで活躍する芸能人は競争を勝ち抜いた完璧な人であるべきだとする考え方が強い。このため、「基準」から外れた場合に中傷が起きやすいという。

著名人に限らず、韓国は自殺者が極めて多い。OECD（経済協力開発機構）のまとめ（2018年）によると、10万人当たりの自殺者数は23・0人と、OECD加盟国中トップで、日本（14・9人）をはるかに上回る。SNS中傷の影響も大きいとみられ、対策はまさに国民的な課題だ。

SNSやニュースポータルサイトへの無責任な書き込みを制限するために、韓国では07

年に書き込みを「実名制」とする法律が施行された。日本のマイナンバーにあたる住民登録番号を本人確認のために届け出る仕組みだ。しかし、個人情報の流出や詐欺事件が相次いだうえ、12年には裁判で憲法違反と判断され、実名制は廃止された。

その後も一定の規制は続き、一部のニュースポータルサイトへの書き込みの際には、個人認証のため携帯電話番号の登録を求められる。最近、再び芸能人の自殺が続いたことで、対策を求める声が広がっている。文在寅《ムン・ジェイン》政権が17年に導入した、韓国大統領府（青瓦台）ホームページの「国民請願掲示板」には、実名制の再導入を求める要請が相次いでいる。

ヘイトスピーチ排除狙い、事業者に巨額の制裁金

欧米諸国でもネット中傷は大きな課題で、各国が事情に応じ、問題と向き合っている。中でも規制を強めているのがドイツだ。ナチスによる苦い過去を抱えるドイツ政府は、特にヘイトスピーチに厳しく目を光らせ、２０１７年6月、ＳＮＳ事業者に違法投稿の削除などを義務づける「ＳＮＳにおける法執行を改善するための法律（ＳＮＳ対策法）」を制定した。

ドイツ刑法では、特定集団に対しての憎悪をあおったり尊厳を傷つけたりするヘイトスピーチを民衆扇動罪として規定。「ホロコースト（大量虐殺）はなかった」などとするアウシュビッツのうそや、ナチスやヒトラーの礼賛も罪とされる。しかし、ネット上にこうした書き込みは絶えず、政府が事業者への規制に乗り出した形だ。

ドイツの法規制に詳しい慶應義塾大学メディア・コミュニケーション研究所の鈴木秀美教授（メディア法）の解説によると、SNS対策法は、

・悪質投稿に関する苦情の窓口を設ける。

・寄せられた苦情で明らかに違法な投稿は、24時間以内に削除またはアクセス制限などの対応を取る。

・苦情の内容について半年ごとに報告書を提出する。

などを事業者に求めている。これらに応じない場合、最大で5000万ユーロ（約60億円）に上る制裁金（過料）を法人に科すとしている。ドイツ連邦司法庁は19年7月、フェイスブックに対し、苦情窓口が十分に機能していないなどとして200万ユーロ（約2億4000万円）の過料を科すと発表。フェイスブック側が異議を申し立て、司法庁が対応を検討している。

他国のSNS対策法を〝直輸入〟することの危険性

ドイツでは、2011年に中東で起きた民主化運動「アラブの春」以降、シリアやイラクなどからの難民が増加し、排外主義的な声が強まっていった。ドイツ連邦刑事庁の分析によると、シリア難民が急増した15年は、ネット上に前年（1119件）の3倍近くの3084件のヘイトクライム（憎悪犯罪）があった。このうち9割以上は右派によるものだった。こうしたネット上の動きと呼応するように、政治の世界でも排外的な色が濃い「ドイツのための選択肢（AfD）」などの右派勢力が台頭した。

SNS対策法が成立したのは、日本の衆議院（下院）にあたるドイツ連邦議会の選挙を間近に控えた17年6月だった。法律の制定には当時急速に存在感を強めた右派を牽制《けんせい》するという政治的な狙いもあったとみられる。しかし、法が成立して以降も、右派の台頭や排外主義は止まらず、19年には、地方政治家が極右青年に暗殺される事件や、シナゴーグ（ユダヤ教会堂）を狙った襲撃事件も発生した。ドイツ政府は20年6月、刑法やSNS対策法を改正し、さらに規制を強化。違法なネット投稿については、投稿者のIPアドレスとポート番号を捜査当局に通報することをSNS事業者に義務づけた。

ドイツ国内ではこうした規制強化の流れに対し、「事業者による過剰な投稿削除を招き、言論を萎縮させる」などと懸念する声も上がった。人種差別と全体主義で招いた過去の過ちを繰り返さないよう、表現・言論の自由へのこだわりは他国以上に強い。

過剰な規制にブレーキをかける役割を期待されるのが、連邦憲法裁判所だ。ドイツでは通常の裁判所（三審制）で有罪判決になっても、連邦憲法裁で争うことができる。鈴木教授によると、件数は多くないものの、連邦憲法裁が「表現の自由」を理由に、民衆扇動罪や名誉毀損罪などの有罪判決を覆した例がある。

鈴木教授は、ロシアやマレーシアなど他国でもドイツのSNS対策法をモデルにしようとする動きがあることに関連し、「ドイツには自由で民主的な社会があり、憲法裁判所のような規制乱用の一定の歯止めがあります。しかし、仮に独裁的な国家で、SNS対策法のような法律を導入した場合は、問題があります」と指摘。「日本の場合でも、最高裁判所がドイツの憲法裁判所のように表現の自由を熱心に守ってくれるとは思えません。だから、ドイツのSNS対策法だけを見て、いい法律だなどと思わないでほしいです」とくぎを刺す。

フェイクニュースと法規制

誹謗中傷という観点からいったん外れるが、世界各国では今、「フェイクニュース」対策を理由にしたネット規制の流れが強まっている。

フランスでは2018年11月、選挙時の情報操作を念頭に置いた「フェイクニュース対策法」が成立。「民主主義を危険にさらし、報道の検閲につながる」との懸念も上がったが、条件付きで合憲との判断が出された。もともと監視が厳しいことで知られるシンガポールでも19年5月、「フェイクニュース防止法」が成立した。

20年に入ってからは、新型コロナウイルス対策に便乗した言論統制も増えている。国連人権高等弁務官事務所（OHCHR）の声明（6月3日）によると、バングラデシュやカンボジア、中国などアジア12カ国で、「コロナ関連のフェイクニュースを流した」「（政府の対策などに）不満を表明した」などとして恣意的で不当な逮捕、拘束がみられるという。

フェイクニュースという用語がもっとも頻繁に使われているのが米国だろう。16年に当選した米国のトランプ大統領は就任以降、自身に批判的な報道や記者の言動に対し、「フェイクニュースだ」と度々罵声を浴びせ、言論を押さえ込もうとしてきた。

一方、トランプ氏は政策や自身の考えもツイッターで発信。米CNNなどによると、トランプ氏は20年5月、秋の大統領選挙に向け、「郵便投票は不正の温床だ」などとする主張をツイッターで展開。根拠が乏しく誤解を招く内容だと判断したツイッター社は、「事実確認が必要」との警告マークを貼り付けた。すると、自身の発信が「フェイク」扱いされたトランプ氏は「選挙介入だ」と強く反発し、対抗措置に出た。米国の通信品位法では、SNS事業者は、利用者の投稿内容に関して法的責任を負わないこと（免責）が規定されているが、事業者の免責事項を見直す大統領令に署名したのだ。これに対し、ツイッター社側も対抗。黒人暴行死事件後の抗議デモへの暴力的鎮圧に関し、こうした行為を肯定するトランプの投稿について「非表示」扱いにした。

米ニューヨーク・タイムズ紙は、トランプ氏が20年5月末の1週間にツイッターに書き込んだ139本の内容について「ファクトチェック」したところ、26本が明らかな虚偽であり、24本は誤解を招くまたは根拠が薄弱なものと分かったという。

虚偽が明白なフェイクニュースは社会に混乱をもたらし、有害なことは明らかだ。ただし、フェイクかどうかを誰かが恣意的に判断できるようになれば、表現や言論の自由を維持するのは難しくなってしまう。仮に誹謗中傷などをきっかけに、ネット規制の議論を進めるとしても、政府や権力者側に都合のいい規制を許すのは危険だ。

「本当に投稿しますか」　少女の問いかけが発明に

ＳＮＳを巡る環境を改善しようとする取り組みは、各国の政府や業界だけにとどまらない。米国在住の一人の少女が開発したアプリ「ＲｅＴｈｉｎｋ」がその一つで、ネットいじめ（Cyberbullying）を事前に防止する画期的な発明として世界中の共感を呼んだ。

イリノイ州出身のインド系米国人で、ハーバード大学で学ぶトリーシャ・プラブさん（19）。ＲｅＴｈｉｎｋのホームページによると、２０１３年秋、当時13歳だったトリーシャさんは、フロリダ州に住む12歳の少女が1年半にわたり、ネットいじめを受けた末に自殺したとのニュースを目にした。「私より年下の女の子がなぜ、罰を受け、命を絶たなければならなかったのか」。同様のネットいじめで自殺した子どもが大勢いることも知り、心を痛めた。

トリーシャさんはさまざまな調査を続け、若者の脳は、深く考えて行動をコントロールする前頭前野が未発達であることを知る。そして、問題ある投稿を事後に削除するのではなく、投稿前にブレーキをかけて止める必要があると考えた。プログラミングを学び、やがて「ＲｅＴｈｉｎｋ」を開発した。ＳＮＳなどで投稿する文章に攻撃的・侮辱的な用語が含まれている場合、「本当に投稿していいですか」というメッセージを表示し、投稿者に再考を促す仕組みだ。１５００件のデータを調べたところ、投稿の再考を促す表示を受けた若者のうち93％が投稿をとりやめたという。

「考え直そう、被害が出る前に」「オンライン・ヘイトをやめよう」と呼びかけるＲｅＴｈｉｎｋは広く注目され、トリーシャさんは起業家をたたえる国内外の数々の賞を受賞。16年の世界起業家サミットでは、当時の米オバマ大統領から称賛を受けた。

ネット上で誹謗中傷など悪質な投稿を受け取ると、ダメージは大きく、被害回復は極めて難しい。司法、行政、事業者による悪質投稿への対応の模索も続いているが、有効な答えは出ていない。一方で、過剰なネット規制は、自由な言論を抑え込んでしまう危険性もはらむ。では、私たちは、ネットとどう向き合えばいいのだろうか。最終章で考えたい。

第6章　SNSの功罪

一つのツイートが政治を動かす

ここまで、匿名の悪質投稿によって人を傷つけるというSNSの「影」の部分ばかりを考えてきた。しかし、普段から頻繁にSNSを活用し、その恩恵にもあずかっている記者としては、良い面も考えたい。本来、SNS自体は単なる道具であり、その良し悪しを決めるのは使い手である私たちのモラルだ。「影」もあれば当然「光」もある。そんな汚名返上となるような出来事が起きた。

きっかけは2020年5月8日午後7時40分に投稿された一つのツイートだった。

〈1人でTwitterデモ　#検察庁法改正案に抗議します　右も左も関係ありません。犯罪が正しく裁かれない国で生きていたくありません。この法律が通ったら『正義は勝つ』なんてセリフは過去のものになり、刑事ドラマも法廷ドラマも成立しません。絶対に通さないでください。〉

つぶやいたのは「笛美」という名のアカウントを持つ、東京都在住の30代の女性会社員。

当時は、新型コロナウイルスの感染者増加と緊急事態宣言発令という異例の出来事が相次ぎ、誰もが不安を抱えていた。そうした中で、安倍晋三首相が自身に都合の良い検察庁人事をゴリ押しするために法改正案を通そうとしている、という批判がにわかに高まったタイミングだった。法改正案の趣旨は検事長、検事総長の定年を延ばすもので、安倍政権に関係が近いとされる黒川弘務・東京高検検事長（当時）の定年時期を延ばし、検事総長に就任させるという政権側の狙いが透けて見えた。

笛美さんがツイートに付けたハッシュタグ「#検察庁法改正案に抗議します」とその類似ハッシュタグを含む投稿は、8日夜から徐々に増えていき、9～11日にかけて話題のキーワードを示す「トレンド」上位に断続的に表示された。10日には、普段は政治的な発言をしない芸能人や著名人からの投稿が相次いだ。

〈もう一度言っておきます！#検察庁法改正案に抗議します〉（俳優・小泉今日子さんの事務所アカウント）

〈もうこれ以上、保身のために都合良く法律も政治もねじ曲げないで下さい。この国を壊さないで下さい。#検察庁法改正案に抗議します〉（俳優、井浦新さん）

〈このコロナ禍の混乱の中、集中すべきは人の命。どうみても民主主義とはかけ離れた法

案を強引に決めることは、日本にとって悲劇です。#検察庁法改正案に抗議します〉（演出家、宮本亞門さん）

〈どのような政党を支持するのか、どのような政策に賛同するのかという以前の問題で、根本のルールを揺るがしかねないアクションだと感じています。#検察庁法改正案に抗議します〉（音楽グループ〈いきものがかり〉、水野良樹さん）

こうした書き込みがそれぞれ数万単位でリツイートされ、「トレンド」が示す数字は一時、1000万近くまで到達した。各メディアが報じるようになり、法案への反発を無視できなくなった安倍首相は18日、「国民からさまざまな批判があった。そうした批判にしっかりと応えていくことが大切」と述べ、第201回国会での成立見送りを表明。検察庁法改正案はその後、廃案に至った。

コロナ禍で外出自粛が続き、SNSに接続する人が増えていたとはいえ、ここまでの事態になるとは誰も予想しなかっただろう。最初の投稿から4日後の5月12日、笛美さんの携帯電話を鳴らした記者に対し、返ってきたのは少し戸惑ったような声だった。

「ただただ驚いています。私はボールを投げただけで、それがどんどんパスされていったような感覚でした」

笛美さんは、アカウント名（笛美《ふえみ》）から分かるようにフェミニズムに関心があり、ツイッターではそれまで女性の生きづらさやジェンダーに関する話題を中心に発信していた。政治そのものに特に興味があったわけではなく、周囲と政治について話すこともほとんどなかった。検察庁法改正案に問題意識を持ったのは、時事問題について早口で解説するお笑い芸人の「せやろがいおじさん」の動画をユーチューブで「偶然見たから」だったという。「最初の抗議ツイートは、政治への関心が高くない人でもリツイートしやすいような言葉を選んだ」と笛美さん。丁寧に「ですます」調にし、身近な例えで親しみやすさを意識した。記事投稿サイト「ｎｏｔｅ」では、〈燃えるような怒りというより、静かな意思を感じられる表現にしました〉と綴っていた。

「前代未聞の規模」その実態はいかに

前代未聞の規模となったツイッターによる抗議。こうした動きに賛同する側は、〈数百万人が参加したツイッターデモだ〉などと表現し、大規模な民意の表れだと誇示した。一方で、自民党幹部からは「1人で100万件の（投稿をした）可能性もある」などと、ボット（自動投稿プログラム）による実態のないものだと主張するような声も出た。安倍首相は衆院予算委員会でネット上の反応について聞かれたが「さまざまな反応があるんだろう」と述べるにとどめた。

見方は両極端に分かれたが、どちらが真実なのか。

東京大学大学院の鳥海不二夫准教授（計算社会科学）の分析によると、5月8日午後8時から11日の午後3時までの間に「#検察庁法改正案に抗議します」はリツイートを含めて473万2473件、ツイートに限ると56万4797件の投稿があったという。ツイートしたアカウントのうち約8割は「#検察庁法改正案に抗議します」のハッシュタグをつけた投稿を1回しかしておらず、ボットによる大規模な投稿水増しの可能性は低いことがわかった。一方で、リツイートは、コメントを書かなくても誰でも簡単にできるので、強い賛意を示しているとは限らない。

こうしたデータを総合すると、少なくとも40万人以上の人が、主体的な意思を持って抗議の声を上げた可能性があると言える。鳥海准教授は「数百万人が抗議に参加したかのように言うのも、大半がスパム（ゴミ）だったとするのも、どちらも間違いです。正確な数字から実情を理解し、その意味を分析することが重要です」と指摘した。

「#保育園落ちた」「#MeToo」

インターネット発の問題提起が社会を動かした例は、検察庁法改正案への抗議以前にもあった。近年の大きな事例では、2016年2月、匿名の母親のブログから発信された〈保育園落ちた日本死ね!!!〉が挙げられる。安倍政権が「一億総活躍社会」「すべての女性が輝く社会」などのメッセージを掲げる一方で、いざ女性が子どもを産んで職場復帰しようにも、保育園の多くは満員で、預け先確保に走り回らざるを得ないのが現実だ。入園選考から漏れた一人の母親の訴えは、全国の母親の不満に火をつけ、ツイッター上では「#保育園落ちたの私だ」というハッシュタグをつけた体験談が次々に発信された。これにより、待機児童問題が大きくクローズアップされ、自治体の保育園増設や国の企業主導型保育事業などにつながった。

17年には米国ハリウッドで、女優らが大物映画プロデューサーらによる性暴力被害を告発する「#MeToo」を展開し、世界に波及するムーブメントとなった。日本でもツイッター上で問題が語られるようになり、19年春以降、作家の北原みのりさんらが呼びかけ人となり、「フラワーデモ」と称する性暴力への抗議デモが各地で行われた。

また、同年には第4章でも紹介した俳優兼モデルの石川優実さんが、職場でのヒール靴着用の強制に反対する「#ＫｕＴｏｏ」を呼びかけた。安全性や機能面で劣るヒール靴を、「女性だから」という理由から着用を義務づけられている女性たちの間で共感が広がり、全日本空輸やＮＴＴドコモなど数社の大企業が服装に関する服務規程を見直した。

オンライン・デモクラシー元年

石川さんが声を上げる手段として、ツイッターと並んで活用したのが、米国発の署名サイト「Change.org（チェンジ・ドット・オーグ）」だ。チェンジ・ドット・オーグの日本版では近年、こうした署名運動が急増している。２０１９年に展開された賛同者が５人以上の署名「キャンペーン」は１１４９件。それに対し、20年は6月末時点でその約１・７倍となる１９４２件のキャンペーンが既に立ち上がった。

チェンジ・ドット・オーグは07年、米スタンフォード大学出身の社会起業家、ベン・ラトレイ氏が創設したコミュニティーサイトだ。コンセプトは「誰もが自分の意見に価値があると感じられて、それを声に出すことで社会変化を実現できること」だという。署名を求める「キャンペーン」は規約やガイドラインに違反しなければ誰でも無料で始めることができ、会員による任意の寄付や賛同広告などが運営を支えている。

日本版は12年に開設。初年のキャンペーン総数はわずか１０７件だったが、年々増加傾向をたどっている。20年は新型コロナウイルス感染が拡大した2月以降に増え始め、4月だけで１０２０件となり、前年4月（92件）の約10倍という急増ぶりを見せた。署名運動の広がりに大きな役割を果たしているのがＳＮＳだ。日本版代表の武村若葉さん（37）は「コロナ禍によって、政治や社会の動きが自分の生活に直接影響を及ぼすことに多くの人が気づかされました。20年は『オンライン・デモクラシー元年』と言えるのではないでしょうか」と分析する。

コロナ禍の中、日本のチェンジ・ドット・オーグで特に顕著な増加がみられたのは、これまで欧米に比べて少ないとされた若者からの発信だ。高校生や大学生が休校延長や学費免除などを求めるキャンペーンの数は４００件以上。「京都市立・府立校の教育活動の再開の延期を求めます！」と題したキャンペーンを発信した京都市の高校生、関戸桂介さん(17)は「我々学生には参政権が与えられていませんので、署名が最も有効な手法だと考えました」とサイト上に記している。

「国や自治体の意思決定に、世の中のほぼすべての人が巻き込まれています。自分にできることを少しでもやらなければ状況は変わらないと、切実に追い詰められた人が増えたのでしょう」。武村さんはそう分析する。実際、飲食店の倒産防止を訴えるキャンペーンには16万近い賛同が集まり、その後、雇用調整助成金の拡充や家賃補償の給付が決まった。また、生活関連以外では、黒川弘務前検事長の辞職を求めるキャンペーン、森友学園問題での財務省による決裁文書改ざんに関する再調査を求めるキャンペーンが目立ち、いずれも日本版開設以来最多となる35万超の賛同を集めた。

一方、武村さんには気になることもある。それぞれのキャンペーンページには、署名の趣旨が法や規約に反する場合に通報する「違反報告」ボタンがあるが、「フェミニズム関連のキャンペーンに対して、バッシングの意図を持って大量に押される動きが目立ちます」と話す。

「日本社会では特に自分の意見をはっきり言うこと、『お上《かみ》』にたてつくことへの反射的な否定が多いと感じます。だからこそ署名で社会を動かせるんだという事例をどんどん増やし、声を上げることに対する抵抗感を薄めていきたい」

武村さんの前職はPR代理店のマーケティングコンサルタントだ。13年にチェンジ・ドットドット・オーグに参画したが、当初は「一般的な正義感は持っていたものの、社会運動をするほどの情熱はありませんでした」と振り返る。しかし自身の結婚、出産を通じて「なぜ、女性が名字を変えなければならないのか、なぜ、仕事を続けるかどうかの選択を迫られるのか」といった社会における「非対称性」に気づいたという。

「そうした非対称性は女性問題だけに限らないと想像できるようになりました。力を持てない人が少しでも声を上げやすい社会を作るために、署名サイトが果たす意義をより強く感じています」

ネット空間から、リアルな社会での行動へ

ツイッターや署名サイトはネット空間で他者の共感を呼んでうねりを作るだけでなく、「リアル」な社会での個人の行動や考え方を変える力も持っている。検察庁法改正案見送りの

端緒となる一声を上げた笛美さんも、現実の社会で少しずつ行動を始めている。

検察庁法改正案への抗議ツイートの後、笛美さんはツイッター上で知り合った人たちと一緒に、国会議員の事務所に実際に電話をかけたりファクスを送ったりして廃案を訴えた。7月の東京都知事選でも、勇気を出して友達に「選挙行こうよ」とＬＩＮＥでも声をかけたという。

「なぜ現実の社会でも動くようになったのか」。記者が疑問をぶつけると、次のように説明してくれた。

一時のツイッターの盛り上がりで、笛美さんのフォロワー数は2万人を超え、何か発信するとたくさんの「いいね」がつくようになった。ただ、数字は増えても、政治や社会に対して似たような問題意識を持つ一部の人たちにしか、自分の思いが届いていないのではないかという疑問も強くなった。

現実の世界で動く方法を提案する笛美さんのツイート＝笛美さんのツイッターより

「興味のある人とない人の間で大きな分断がある。それに生活が苦しくて本当に助けが必要な人は、ツイッターでつぶやいている暇がないかもしれない。具体的にどうしたらいいのかはまだ分からないですけど、SNSだけじゃ限界があるなって思います」

ネット空間は別世界ではない

誹謗中傷で人の命まで奪ってしまう一方、社会の変革を促したり、時には国の政策まで変えたりする力を持つSNS。功罪相半ばする中、「罪」の部分を限りなく減らしていくためには、何が必要なのだろうか。

大事なのは、ネットの特性を正しく理解し、どう使うかという「ネットリテラシー」だ。事業者の中にも熱心な取り組みを続ける人がいる。SNS運営大手「GREE（グリー）」の社員、小木曽《おぎそ》健さん(47)もその一人。さまざまな業界でコールセンターなどの顧客対応に関わり、2010年に入社した。ネットパトロールの責任者を務め、ネットリテラシーを広めるための専門部署を12年に立ち上げた。最近は、全国の小中高校・大学、企業、官公庁などで年間200回を超える講演活動をこなしている。

ＧＲＥＥは07年からユーザー間でやり取りできるソーシャルゲームサービスを提供しているが、オンラインでのユーザー登録の際、年齢確認の徹底が難しかった。大人のユーザーが18歳未満の子どもを装って子どものユーザーに近づき、「２人で会おう」と連れ出すなど、未成年が犯罪に巻き込まれる事件が多発し、社会問題化していた。そこで「子どもが巻き込まれる犯罪をゼロにする」というミッションの下でネットパトロールに参画したのが、小木曽さんだ。今でこそ禁止投稿を自動抽出するシステムが発達しているが、当初は人海戦術で１０００人以上のスタッフが交代で24時間、投稿を監視。子どもになりすました大人のユーザーに加え、大人を装って年齢制限のあるサービスを利用する子どもがいないか、徹底的に目を光らせた。

対策が功を奏し、自社サービスを通じた犯罪件数は減少した。しかし、悪質なユーザーは別のサービスに逃れ、ネット業界全体の被害者数は減らなかった。「ユーザー側も含めて、社会全体のリテラシーを高めていくしかない」。そう考えた小木曽さんは講演活動に力を入れ、最近はユーチューブによる講義中継も増えた。ネットパトロールは「利用規約や法に違反していないか」という基準でしかチェックできないが、年々増加する不適切投稿や中傷の問題は放置できない。

「SNSやブログの投稿は、一歩間違えば誰かを傷つけ、死に追いやってしまう。そして結果的に自分の人生をも破綻させてしまいます」

講演では「ネットで絶対に失敗しない方法」と題して語ることが多い。実際に使っているスライド画像を見せてもらった。一つは、スクランブル交差点に立つセーラー服姿の女子学生が「〇〇高校1年　090−1234−＊＊＊」と太字で書かれたボードを掲げているもの。もう一つは、一軒家の玄関に張られた紙の数々で、「職場の上司　マジで殺したい」「この店ありえない　店員のアホ顔さらしときますわ」などと書かれている。

無防備な個人情報の露出と、無責任な誹謗中傷。どちらも現実世界では、気心の知れた友人や同僚同士などでしかやらない行為だが、ネットでは日常的にみられるものだ。

「こういうことを現実世界でやりますか？　と聞くと、皆やらないと答える。でも、ネットの中ではそんなことをやっているんだよと。ネットに書き込むのは、玄関ドアに張っても問題ないものだけにしよう、と伝えています」

小木曽さんは、ネット上で起きている多くの問題は「ネットは現実とはかけ離れた場所にある特別な世界である」という思い込みに起因していると指摘する。「ネット特有のモ

GREEの小木曽健さんが講演で使っているスライド画像＝小木曽さん提供

ラルやリテラシーなんてないと考えています。ネットという『装置』に問題があるのではなく、それを使う人間自身の問題。『ネットの闇』などとメディアが特別視して報道するのも、そうした誤解を助長していると思います」。その上で、こう語る。

「身近な例に引き寄せて、ネット上の出来事を現実に置き換える。そのセンスこそリテラシーであることを伝え続けていきたい。道具や装置なんかに、人間の本質まで変える力はないはずですから」

必要なのは「人間リテラシー」

現実社会でやってはいけないことは、ネット上でもいけないこと。考えてみれば当然のことだ。大切なのはちょっとした想像力や相手への共感なのだろう。自身もツイッターで「数限りない炎上経験がある」という脳科学者の茂木健一郎さんは、「本当に必要とされているのは、SNSリテラシーというより『人間リテラシー』なのではないでしょうか」と投げかける。テレビやネット上に見えている部分だけがその人のすべてではなく、どんな人にも多面性があり、単純化できない。そうしたことを想像し、他者に共感を寄せる力が

SNS上でも問われている、というのだ。

「(木村花さんへの中傷の舞台となった番組)テラスハウスの件では、ある程度の想像力がある人なら、これは演出だろうと何となく推察できると思います。英国発祥の『ドラマエデュケーション(演劇教育)』という、演劇によって異なる立場や環境を疑似体験させて洞察力を深める、教育メソッドがあります。創作と現実の違いを見極める力を養うのには、そうした手法も有効かもしれません」

英ケンブリッジ大学に留学経験があり、英語のツイッターアカウントも持つ茂木さんだが、日本語のアカウントと同様の内容をつぶやいても英語での中傷は少ないという。そこに、日本と欧米との文化の違いを指摘し、「人間リテラシー」を育む鍵があるとみる。

「日本では、意見が異なる人と建設的な討論をするという機会が圧倒的に少ない。相手と自分の意見は別物だということを前提に、相手の意見を尊重しつつ議論を戦わせる、という経験です。だから自分と意見が異なる相手に出会ったら、否定することから始めてしまうのでしょう」

正義は人の数だけある

茂木さんは、欧米の教育においては「知識の有無よりも意見交換の中から何を発見できるかが問われる」のだとも話す。そして優れた教育の例に、米国の政治哲学者、マイケル・サンデル教授がハーバード大学で実施していた人気講義「JUSTICE（正義）」を挙げる。「ハーバード白熱教室」としてテレビ番組化もされ、世界的に知られているものだ。

そこで取り上げられた有名な議題の一つが、「トロッコ問題」だ。暴走する電車の前方に5人の作業員がいて、待避線には1人の従業員がいる。何もしなければ5人が命を落とすが、進路を変えれば1人をひき殺すだけで済む。果たしてどうするべきか——という問題だ。サンデル教授は一人の学生に意見を求めると、次の学生には異なる意見を言わせる。殺人に正義はあるのか。命に優先順位はつけられるのか——。一連の講義では、歴史上で実際に起きた事件などをひもときながら、「正義」は人の数だけ存在しているのだということを、多角的に考える機会を与える。

閉じたコミュニティーの中で、自分と似た意見の人々だけのコミュニケーションが繰り返されることで、その意見が「正しい」と思い込んでしまうことを「エコーチェンバー現象」と言う。エコーチェンバーは本来、残響が生じるように設計された録音室の意味で、そこから比喩的に使われている言葉だ。似た属性の人が集まるSNSでは、どうしても同様の現象が起きてしまう。自分の意思で、自分の好きな情報を選べるのがネットのメリットのはずだが、過去に検索・閲覧したデータをもとに、自分の興味関心に即した情報ばかりが表示されるようになり、実際には狭い範囲から選択しているにすぎないのだ。

茂木さんは、SNSとの向き合い方についてこう話す。

「自らエコーチェンバーを乗り越える工夫が必要。その方法の一つが、テレビやラジオ、新聞など幅広いメディアに目を通して、自分なりの世界の見取り図を作ることだと思う。僕も、自分と正反対の思想を持つ人をフォローする、ということをあえてしています」

開成中の実験的授業

日本の学校現場でも、模索が続けられている。サンデル氏の講義を模したような、実験的なネットリテラシー教育を実践した事例を紹介したい。有数の進学校で知られる開成中学・高校（東京都荒川区）では2012年、国語の授業でスマイリーキクチさんの著書『突然、僕は殺人犯にされた』（竹書房）を取り扱った。前年に出版されたこの本を「課題図書」として生徒に配り、ネット中傷について徹底的に考えさせたのだ。ちょうど、世の中にスマートフォンが急速に普及し始めた頃のことだ。

授業を発案したのは神田邦彦・国語科教諭だ。

ネット上の悪質な書き込みは、生徒指導の中で苦労しているテーマだった。お説教じみた啓発リーフレットを配っても、ゴミ箱に捨てられてしまう。

「スマイリーさんのリアルな経験で人生を感じ取りながらだったら、生徒たちが自分自身で思考するのではないかと考えました」

授業は中学2年生を対象に、計10時間かけて実施。「なぜ、人は誹謗中傷を書き込んでしまうのか」「ネット上の匿名性とは何なのか」――。「白熱教室」さながらに、先生の問いかけに対し、生徒たちが挙手して次々に意見を述べた。そして、スマイリーさんのネット中傷被害から浮かび上がった「正義感」と「『正論めいた妄想』の暴走」の問題についても発表した。スマイリーさん本人を招いた講演を聴いたほか、中間考査ではネット中傷をテーマに論述した。

論述の中で、ある生徒は、中傷の原因は「人には『人の不幸は甘い蜜』というように、寄ってたかって人を徹底的にたたきのめすことに快感を感じる悪性を持っている。しかし、知人だらけの世間でそれをすれば、自らの立場が危うい。そこにインターネットはつけこんでくる。大義名分に加えて匿名性と、仲間たちの同調圧力をもって中傷を後押しする」（一部原文略、以下同）と分析。そうした行動の理由は「自分が不幸だと感じているからだ」とし、「他の人まで不幸に引きずり込んでも双方の益につながらない。極めて不適切で愚かだ」と綴った。

別の生徒は中傷が相次ぐ構造について「『注目されたい』という人間がマッチの火を付け、『ネット』という導火線にそれを落とす。その導火線が『俺も』『俺も』という過激な書き込みに同調することで燃え続け、『盲信』という爆弾に火が付き、『集団による中傷』という爆発をおこした」と分析した。さらに「ストレスや『自分が責められたらどうしよう』というちっぽけな恐怖心、いらだちから、無関係な人間にあたってしまう」という「人間の弱さ」を指摘したうえで、「大勢が一人を責めるより、大勢で仲良くする方が仲間も増え、すがすがしいことなのではないか」と提案した。

「『中傷を書いたヤツが悪い』で終わるのではなく、『僕も書いてしまうかもしれない』というところまで考えてほしかった。被害者になるのは防げなくても、加害者になるな、という気持ちがありました」

神田教諭は当時をそう振り返る。

インターネットの世界は、教員よりも生徒の方がはるかに精通している場合が多い。神田教諭は、「ネット空間は子どもたちにとって、『大人が入ってこない秘密基地』なのでは」と推測する。

「大人が規則でネット空間を縛っても、子どもたちは『秘密基地に大人が入ってきて、整理整頓して、ゴミはポイッと捨てた』という感覚を持つだけだと思うのです」

では、教師は何ができるのか。神田教諭は「自分たちの基地をどうしたら気持ちよい空間にできるか、自分の頭で考える力。それを養うことです」と訴える。

「使うな」ではなく子ども自身に考えさせる

スマートフォンやSNSとの付き合い方について、学校の生徒側から考えようという動きがある。大阪市生野区の市立田島中学校では2019年、生徒会が中心となって、全校生徒のスマートフォン利用実態についての調査を実施した。きっかけは前年、安全保健委員会が行った「生活習慣アンケート」。スマートフォンに1日5時間以上触れている人が半数以上おり、そのせいで就寝時間が午後11時以降になってしまっている人が6割いることが分かったからだ。

さらに生徒会の調査では、次のようなこともわかった。1年生でもスマホの所持率は8割以上、2年生の5割がLINEなどに10分以内に返信している、3年生男子の28%、女子の40%が課金サービスを使ったことがある、女子はSNSに接続している時間が長く、男子はゲームをしている人が多い、スマートフォンを長時間使用している人は保護者と会話が少ない、8・7%が「ネット依存」といえる状態にある——。

これらの結果から、「スマホに夢中になると睡眠時間が減ってしまう。睡眠時間が減るとコミュニケーションが取りにくくなる。特にSNSやユーチューブのコメント欄ばかりに接続している人はイライラしてしまって、さらにコミュニケーションが取りにくくなる」と結論。パワーポイントにまとめて、文化祭で発表した。翌日開かれた学校の創立70周年記念式典でも、「田島中スマホサミット」として3年生の有志がスマートフォンを題材にした劇を演じ、生徒会と校長、PTA会長らも交えた討論会を開いた。

指導にあたった養護教諭の田中梓さん(39)は「SNSトラブルは日常茶飯事で、保健室に生徒たちがよく相談に来ます。コロナ禍で休校中に起きたトラブルを、登校再開した7月になっても引きずっていたケースもありました。一部の人が見られるツイッターの鍵アカウントに自分の悪口を書かれていることを他の人から知らされる、といったケースです」と明かす。同じ校区の小学校でも養護教諭を務めていたが、親もSNSに依存していたり、ネグレクトによって子どもがSNSで寂しさを紛らわしたりしている家庭もあったという。

「スマホを使うなというのは難しいので、教師や大人が押しつけるのではなく、子どもたち自身にスマホの適切な使い方は何なのか、不適切な使い方をしたらどんな弊害があるのか、考えさせる機会を作るしかないのです」

子どもたちの意識をどう変化させるのか。現場の手さぐりが続く。

駆け込める場所に相次ぐ相談

ネットで中傷を受けること、そして中傷に加担してしまうことは、もはや珍しくなくなった。ただ、そうした被害、加害について専門的に相談できる場所は多くないようだ。

子どもにまつわる相談に応じる一般社団法人「全国ＩＣＴカウンセラー協会」（東京都中央区）には今、ネット関連の相談が相次ぐ。代表の安川雅史さん（54）が前身の団体所属時からメールやＳＮＳを通じて受けていた相談は年間７０００件ほどあるが、このうちネットトラブルに関係するものが半数を超える。

「皆が書いているからと、軽い気持ちでグループＬＩＮＥに悪口を書いたら、相手が不登校になってしまった」「調子に乗って仲間と騒ぐ様子を撮影してツイッターに投稿した。未成年が飲酒していると中傷され、父の勤め先まで特定された」。子どもたちからの訴えはさまざまだ。「子どもがお風呂に入っている隙にスマホをのぞいたら、『死ね』という書き込みを見つけてしまった」といった保護者からの相談もある。安川さんは「木村花さんの件が報道で取り上げられた後は、さらに増えた印象です」と話す。

元高校教諭の安川さんは、家庭で問題を抱える子どもたちと向き合ううち、「勉強より子どもの悩みを解決する手助けがしたい」とカウンセリングを学んだ。教師のかたわら、２００６年からいじめや不登校、ひきこもりなどの相談を受ける任意団体の理事長を務め、支援に専念するために退職。その後、年々増えるネットトラブルなどへ専門的に対応するため、２０２０年６月に全国ＩＣＴカウンセラー協会を設立し、学校と提携したＳＮＳ監視業務にも取り組む。未成年に関する相談は無料で受け付け、場合によっては警察との連携、ネット事業者への投稿削除要請まで関わる。

未成年の中傷や問題投稿はささいなことから始まり、「みんながやっているから」とエスカレートするケースが多い、と安川さんは話す。

「思春期は目立ちたい、注目されたいという気持ちが強くなる時期。ユーチューブやＴｉｋＴｏｋに載せた動画に対して容姿を中傷し、ちょっと気に入らないからと、なりすましアカウントを作る。交際相手から送られた裸の画像を自慢したいと、ＬＩＮＥで友達に送ってしまう」

安川さんは各地で開く講演で、そうした相談事例を生々しく伝える。「（ネット上に情報として残る）『デジタルタトゥー』は完全には消せない。投稿を全部消したと思っても数年後、就職活動の時に持ち出され、全滅したケースもある。なぜそんなことになったのか、どれだけ将来に影響を及ぼすか。子どもたち自身に考えさせなければいけません」と強調する。

子ども向けには「むかついた時はいったん深呼吸して、ノートに納得いくまで殴り書きする。ＳＮＳに書き込む前にそれを冷静に読み返すように」と伝える。保護者向けには「子どものSOSサインを見逃さないで」と訴える。そのうえで、問題が起きた時は被害者も加害者も自分だけで抱え込まず、早期に専門家やホットラインなどに相談することを勧めている。

安川さんと一緒に活動する協会メンバーの伊東洋吾さん(32)は、ネットを介したものも含め、いじめに関わってしまったという子どもは、その子自身や環境に問題を抱えていることも多いと指摘する。親に虐待されていたり、実生活で逆にいじめられていたりして、腹いせに罵詈雑言を書き込むというケースがあり、「加害と被害はつながっている」と感じているという。

自己肯定感求めて依存

第4章でも触れたが、SNS上の誹謗中傷に関与する人の一部には、「ネット依存」状態にある人もいる。ネット依存に詳しい精神保健福祉士の八木真佐彦さん(56)も「加害と被害の連続性」について指摘する。家庭や学校、社会で苦しみを抱える「被害者」がネット依存に陥り、中傷「加害者」に転じてしまうケースがある。

八木さんは法務省東京保護観察所で最初の社会復帰調整官として約9年間、医療観察対象となった患者の支援に携わった後、２０１３年からネット依存問題に取り組む。現在は「周愛荒川メンタルクリニック」（東京都荒川区）で月80時間以上、ネット依存に悩む当事者と家族の相談に乗っている。

八木さんのもとを訪れるのは、中高生とその家族が6割ほどで、不登校やひきこもりになってから家族が駆け込んでくるケースが多い。成人の当事者は2割に満たず、ネット上の課金サービスで借金が膨らむなど社会生活に支障を来し、親族が持て余してようやく相談に来る、といったことが多い。当事者本人から相談につながりにくい理由は「周囲に助けてと言いにくい、孤立した環境で過ごしているから。つらい現実から逃れる手段がネット依存しかないのです」と指摘。アルコールやギャンブルなど各種の依存症にも通じる傾向だという。

そして、ネット依存者によくみられる特徴をこう説明する。

「親が高学歴だったり高い地位に就いていたりして、過度なプレッシャーにさらされている。モラルハラスメントやＤＶが家庭内にあり、安心できる居場所がない。発達障害などの特性を周囲に正しく認識されず、常に否定されている。つまり、総じて自己肯定感が低いんです。偏差値70以上の高校に合格したのに親族に『バカ』などと言われ、褒められたことがない、という女の子もいました」

メディアで近年よく取り上げられるゲーム依存に比べ、SNSなどのネット依存についてはまだ注目度が低く、顕在化もしにくい。ゲーム依存は扱っても、ネット依存を対象にしていない医療者や相談機関も多い。だが八木さんは、両者の共通点は多く、同様に扱うべきだと訴える。

「ゲームでは勝って評価されること、SNSではたくさんの『いいね！』をもらうことで、現実世界では得られない自己肯定感を得られる。またソーシャルゲームは、他者とのつながりを求めてやっている人が多いですから」

八木さんはネット中傷に走る心情について分析する。

「誹謗中傷を書き込むことは、同時に自分も傷つける。ある意味でリストカットと同じことです。それによって死にたい思いや自暴自棄になる気持ちが緩和され、精神の安定を保っている人もいる」

立場は違っても、加害者も被害者と同様、何かに追い込まれ、相当に苦悩しているということなのだろう。

八木さんは、「大事なのは、ネット以外に依存できる（よりどころとなる）場を作ることです。アディクション（依存）の反対はコネクション（つながり）。それが心の杖《つえ》になります」と語る。家族を含めた人とのつながりや、気分転換できる場とのつながりを確保することが大切だという。

中傷被害者支援へ条例

自治体にも、ネット上の誹謗中傷への対策に乗り出す動きがある。群馬県は２０２０年６月、ネット中傷被害者を支援するため、全国初となる条例制定を目指していると発表した。秋頃に被害者が無料で相談できる窓口を作ることを検討。弁護士が調査や悪質投稿の削除手続き、発信者情報の開示請求の際に助言を行うほか、臨床心理士や保健師による精神的なサポートにつなげる。条例については、８月上旬から法律や心理、ネットリテラシーに詳しい委員を集めた有識者懇談会を開き、細かな制度設計の議論を進めている。群馬県戦略企画課は「実際に中傷を受けた被害者の体験談などもヒアリングし、広く実例を集めていきたいと思っています」と説明する。

山本一太知事は定例会見の中で、特にネット上の悪質投稿に関連し、「コロナ禍で、陽性者が発見された場合にいじめが起きる恐れもある」と指摘。19年に群馬県警に寄せられたネット上の中傷や脅迫に関する相談は150件あり、県内の小中高校でのネット上のいじめも18年度で155件に上った。県ではネットリテラシーを向上させるため、小中高校に通う児童・生徒に1人1台配備する予定のパソコンで、オンライン学習プログラムを実施する方針も打ち出している。

山本知事自身もツイッターで22万人超のフォロワーがおり、ユーチューブも活用する。会見では「健全な意見や国民の本音、傾聴に値する批判もあります。SNSの光の部分を活用するために、負の部分を抑えていきたい。リテラシーを持っていれば、負の側面に触れるような状況に置かれたとしても、自分の身を守る行動ができるのではないでしょうか」と話した。

プロレスラー議員が働きかけ

大分市議会では2020年6月、ネット上の人権を保護する法整備を国に求める意見書を、全会一致で可決した。意見書は「ＳＮＳでは匿名の気楽な情報発信が可能で、誹謗中傷やプライバシー侵害が発生している」と指摘。対策として、発信者のメールアドレスやＩＰアドレス、電話番号の開示を求められるようにすることや、被害者側の投稿削除要請に即座に応じないプロバイダに罰則を科すことなどを求めた。

意見書を出したのは、市議を務める覆面プロレスラー、スカルリーパー・エイジさん(51)。元暴走族でレスラーに転じ、13年の選挙で当選。覆面のまま議場に入ることは拒否され、「苦渋の決断で」素顔で活動している異色の議員だ。議員8年目で、初めて各会派の部屋を回り、理解してもらえるよう頭を下げたという。2人だけの小会派からの提案が、全会一致で通るのは異例。「絶対無理だと思っていたし、他会派の先輩も驚いていました。それだけ木村花さんの死が世の中に与えた影響が大きかったということでしょう」。同時に、ネット中傷に悩む市民の専門窓口の設置も議会で要望した。

エイジさんに意見書の発案をしたのは、同じく覆面プロレスラーで、大阪府和泉市議のスペル・デルフィンさんだ。大分市に続いて、和泉市でも意見書が議会で可決された。その前には、長野市議会でも、覆面プロレスラー議員のグレート無茶さん(48)によって提出された意見書が可決された。デルフィンさんは「(花さんの母で元レスラーの)響子を助けてあげたい。市議会議員としてできることはないかと考え、足並みをそろえて意見書を出そうと仲間に持ちかけました」と説明する。

デルフィンさんは06年、妻の故郷の沖縄県で「沖縄プロレス」を立ち上げた。そこに加わったのが木村響子さんだった。「3年間、毎日のように試合で行動を共にしていた同志。四六時中一緒にいて、家族ぐるみで食卓も囲む仲でした」と話す。東京で祖母と暮らしていた当時中学生の花さんも沖縄に転居し、7人組のアイドルグループ「AWANIKO」を結成。プロレスの試合の前座として、歌を歌うパフォーマンスをしていた。花さんのプロレスデビュー戦の前にはリングシューズをプレゼントし、20年11月に東京で予定していた試合にも出演オファーを出していたという。「勝ち気なところはあったが、その裏にさみしさを抱えている子だった。でもこんなことになるとは夢にも思っていなかったから、ショックで……」と語る。

「もうこんな悲しいことが起こらないよう、社会を変えていかなあかん。法整備はもちろんですが、それで忘れ去られることが一番良くない。SNSだけでなく、テレビ局の番組制作手法などメディアのあり方についても、考え続けてもらいたいです」

今は成長痛の段階

さまざまな課題を抱えるSNSは今後、どこに向かうのだろうか。

ユーチューブで33万人以上のチャンネル登録者を抱えるお笑い芸人の「せやろがいおじさん」こと榎森耕助さん(32)は、花さんの死後、ネット上の誹謗中傷をテーマにした動画を2回にわたって配信した。

「これまでは、ネット空間は匿名で自由に相手を攻撃できる安全地帯であり、『外野』だと思っている人が多かったんじゃないでしょうか。でもこれからは、訴訟リスクという形でどんどん球が自分に跳ね返ってくる時代だというふうに、意識をアップデートしていかなあかんで、と伝えたかった」

そのうえで、批判と中傷との線引きについて説明する。

「大切なのは、批判に含まれる攻撃性を抑えて建設的な意見を膨らませること。体積の9割がワサビ、という寿司はもう寿司やない。ワサビの量を調節する『作法』が必要とされているんじゃないですか」

沖縄県内でのローカルな活動から、SNSによって全国区の知名度を得た榎森さんは、SNSの未来を見据える。「人間がネットというツールを手にして、たかだか数十年。手づかみで食事していた原始人が長い歴史を経てお箸の文化を獲得したように、ネットの作法獲得にも時間がかかる。今はその過渡期で、『成長痛』を経験している段階なのかなと思います。ネットはそういうものだと諦めるのではなく、こうしていこう、と言い続けなければいけません」

自身も誹謗中傷を受けてきた精神科医の香山リカさんは、最近、SNSユーザーの意識の変化を感じている。

「ここ2～3年は、中傷したアカウントに対して冷静に指摘し、注意する書き込みをよく見るようになりました。『誹謗中傷はおかしい。ネット環境をよくしたい』と多くの人が考え、実際に行動するようになってきています」

さらに花さんの死について、「以前なら『亡くなった側が弱い。中傷なんて気にしなければいい』という論調になっていたと思いますが、今は『特殊な例ではなく、誰にでも起こりうる重大な問題』としてとらえられています」と話し、こうしたネット世論を背景にした自浄作用に期待を寄せているという。

ツイッターで中傷された相手に対し、民事訴訟と刑事告訴で闘った女優の春名風花さんは、中傷に負けない決意を新たにしている。ユーチューブで2020年7月、相手と示談が成立したことを公表した際、「悪意は自分にもダメージを与える」と、SNS上の誹謗中傷をやめるように呼びかけた。

そして「私は死にません」と宣言。「自分がネットの悪意に傷ついて死んでいたら、社会は大きく変わっていたかもしれません。でも、世の中の悪意に殺されて死にたくないし、生きている時に助けてくれなかった人たちに、死んだ後で調子よく同情されたくない。必ず生きて、生きたまま未来を変えたい」と力を込めた。「どうかみんなも勇気を出して立ち上がってほしい」と、自分と同様に誹謗中傷に苦しむ人たちにもメッセージを送った。

愛のあるSNSに

女子プロレスラーの木村花さんが亡くなって数週間後、母響子さんのもとには、花さんのSNSに中傷を書き込んだ男性から1通の謝罪のメールが届いた。響子さんが「なぜそんな書き込みをしたのか」と理由を問うと、こう返信があった。

「何を言っても許されるわけではないけれど、障害があり好きなことができなくなり、ストレス解消で書き込んでしまった」

「生きている価値がないので死にます」

花さんの死後、響子さんには、中傷加害者に対し、「自分がもう少し孤独だったら、憎しみになってしまうような大きな怒りがあった」と語る。だが、このメールを読み、怒りの感情が変化したという。

「中傷している人も助けを求めている。『死ね』という人は、どこかで自分も『死ね』という気持ちを抱えているから、人にマイナスな気持ちをぶつけてしまうのだと思いました」と響子さんは話す。男性は「SNSをやめます」とも書いていたが、SNSをやめることが改善策ではないと考える。

「責任を感じているのなら、生きて、一生十字架を背負って、全力でつらい思いを克服したら、SNSの使い方を学び、全力で幸せになってほしい」

響子さんには今、一つの目標がある。誹謗中傷をなくしていくためのNPOの設立だ。被害回復を手伝ったり、子どもたちにSNSの使い方やモラルを伝えたりできたら、と考えている。「忘れてほしくない」との思いから花さんの名前をつける予定だ。

響子さんは涙を拭い、少し上の方を見上げ、こう語った。

「愛のあるSNSになってほしい」

一人一人で、友人と、家族と深く考えたい。

悲劇を繰り返さないために。

おわりに

２０１０年春。私は、当時特派員として駐在していた中東イランの首都テヘランで、政権批判を続ける人権団体代表の女性と向き合っていた。しつこくお願いしてようやく実現した取材。カーテンがきっちり閉められた自宅で、女性の人権状況や以前収監された刑務所での処遇について話を聞いた。

言論規制が厳しいイランでは、外国メディアへの協力は時に「重罪」となる。私の取材が直接の要因ではないが、女性は数カ月後に再び逮捕、収監された。その後、父親の葬儀出席のため、刑務所から一時出所が許されたが、葬儀会場で治安当局と思われる男に暴行され、亡くなった。

政府に批判的な女性記者、政府「非公認」の男性ポップ歌手、社会派映画監督……。言論や表現が統制された国では、こうした人への取材は困難を極め、細心の注意が必要だった。記事を書いた後、メディア担当の役所から抗議のファクスを受けたり、呼び出しを受けたりすることもあった。インターネットは政府の都合で通信速度が制限、遮断されることもあり、外国由来のSNSは原則禁止だった。

普通に言葉を発したり、聞いたり、伝えたりすることは、当たり前ではない。現地に滞在した4年間で痛感させられた。

最近では20年8月、中国政府の方針で、香港への言論弾圧が急速に強まった。民主活動家、周庭（英語名アグネス・チョウ）さん(23)らが国家安全維持法に基づき相次いで逮捕された。容疑は「SNSを通じて海外勢力と結託し、国家の安全に危害を与えた」などとされる。言論の自由は、決して安定的、永続的に保証されたものでない。長く紛争や大規模な混乱とは無縁で、民主主義が一定機能している日本で、一体どれだけの人が実感できているだろうか。


SNSは、簡単な登録さえすれば、身近な友人、知人だけでなく世界中の人に向け、自由に発信ができる。一方で、自由の意味をはき違え、人を不幸に陥れる悪質な投稿が後を絶たない。言葉を自由に発することの価値を十分に分かっていれば、そうした言葉の乱用、乱発は起きないのではないか、と私は考える。

プロレスラー、木村花さんの死をきっかけに、SNSの誹謗中傷問題が注目され、法規制の議論が進む。一定の枠組みは必要かもしれないが、本書でも触れたように、規制の方向を少しでも間違えれば、言論の萎縮にもつながりかねない。政府や権力機関による規制は、必要最低限にとどめ、これからもネットはできるだけ自由な空間であるべきだ。そのためには、私たちが現在持つ言論の自由の価値をもう一度しっかり認識し、社会全体で自制していくしかないだろう。

本書をまとめる過程では、インターネット、SNSの力を改めて実感した。新型コロナウイルス感染拡大が収まらない中、職場への出勤や出張、対面による取材が難しくなり、多くの制約が生じた。本書の出版を決めてから脱稿まで約1カ月。5人の記者とともにSNSやオンライン会議システムを活用し、企画、取材、編集作業での効率化を徹底的に追求した。

ネット、SNSは記者の働き方、メディアのあり方を確実に変えている。SNS暴力というネットの闇についての取材を通じ、ネットの光の部分を感じることができたのも収穫だった。

本書の出版にあたっては、多くの方に取材に応じていただいた。とりわけ中傷被害に遭われた方、中傷投稿に関わった方には、多大な精神的な負担がある中で、取材に協力していただいたことに対し、取材班を代表して改めて感謝したい。

資料収集にあたっては、仙台支局、福岡報道部、ベルリン支局の協力を得た。

毎日新聞出版の久保田章子さんには、短期間での編集作業となる中、多くの有益な助言をいただき、深く感謝を申し上げたい。

SNSによる悲劇を減らすために、本書が少しでも力になれれば幸いだ。

2020年8月

毎日新聞統合デジタル取材センター副部長・鵜塚　健

主な参考文献

【第1章】
・スマイリーキクチ『突然、僕は殺人犯にされた』（竹書房文庫）
・唐澤貴洋『炎上弁護士』（日本実業出版社）
【第2章】
・山口真一『炎上とクチコミの経済学』（朝日新聞出版）
・田中辰雄・山口真一『ネット炎上の研究　誰があおり、どう対処するのか』（勁草書房）
・山口真一「炎上加担動機の実証分析」（情報通信学会誌、２０１５）
【第3章】
・中野信子『人は、なぜ他人を許せないのか？』（アスコム）
・ギュスターヴ・ル・ボン著、桜井成夫訳『群衆心理』（講談社学術文庫）
・吉野ヒロ子「ネット炎上を生み出すメディア環境と炎上参加者の特徴の研究」（２０１８）
・村山綾、三浦麻子「被害者非難と加害者の非人間化―２種類の公正世界信念との関連―」（心理学研究、２０１５）
【第4章】
・伊藤詩織『Ｂｌａｃｋ　Ｂｏｘ』（文藝春秋）
・石川優実『＃ＫｕＴｏｏ（クートゥー）　靴から考える本気のフェミニズム』（現代書館）
・山本七平『「空気」の研究』（文春文庫）
・藤桂、吉田富二雄「ネットいじめ被害者における相談行動の抑制―脅威認知の観点から―」（教育心理学研究、２０１４）
・橋元良明、大野志郎、天野美穂子、吉田一揮「タイプ別にみたネット依存傾向者と脱却者の分析」（東京大学大学院情報学環紀要　情報学研究・調査研究編、２０１９）
【第5章】
・深澤諭史『インターネット権利侵害　削除請求・発信者情報開示請求〝後〟の法的対応Ｑ＆Ａ』（第一法規）
・佐藤佳弘『インターネットと人権侵害　匿名の誹謗中傷～その現状と対策』（武蔵野大学出版会）

SNS上の誹謗中傷に関する主な相談窓口など

◆ＳＮＳ事業者（報告、削除依頼、ブロック方法）

・ツイッター・ヘルプセンター
https://help.twitter.com/ja

・インスタグラム・ヘルプセンター
https://help.instagram.com/

◆行政機関（相談、通報）

・インターネット違法・有害情報相談センター（総務省）
https://www.ihaho.jp/

・インターネット人権相談受付窓口（法務省）
http://www.moj.go.jp/JINKEN/jinken113.html

・インターネット安全・安心相談（警察庁）
https://www.npa.go.jp/cybersafety/

・全国の消費生活センター等（国民生活センター）
http://www.kokusen.go.jp/map/

◆民間団体（相談、情報）

・誹謗中傷ホットライン（セーファーインターネット協会）
https://www.saferinternet.or.jp/bullying/

・子ども無料相談室（全国ＩＣＴカウンセラー協会）
https://yasukawanet.com/

・インターネットホットライン連絡協議会
http://www.iajapan.org/hotline/

執筆者プロフィール

いずれも毎日新聞統合デジタル取材センターに所属。

五味香織（ごみ・かおり）

東京都出身、1998年入社。岐阜支局、東京社会部、くらし医療部などを経て2020年春から現所属記者。共著に性同一性障害などをテーマにした『境界を生きる』、出生前診断などを扱った『こうのとり追って』（いずれも毎日新聞社）。本書では主に第2章、第4章を担当。

牧野宏美（まきの・ひろみ）

徳島県出身、2001年入社。広島支局、大阪社会部、東京社会部、広島支局次長を経て2019年春から現所属記者。これまで広島原爆報道、経済事件、裁判などを担当。現所属では「就職氷河期世代」をテーマにした連載などを手掛けた。本書では主に第2章、第3章を担当。

野村房代（のむら・ふさよ）

大阪府出身、2002年入社。岡山支局、生活報道部などを経て2020年春から現所属記者。ファッションをはじめ衣食住について主に取材。障害や差別など光が当たりづらいマイノリティーの問題に関心。本書では主に第3章、第6章を担当。

宇多川はるか（うだがわ・はるか）

神奈川県出身、2007年入社。鳥取支局、仙台支局、横浜支局を経て、2018年春から現所属記者。東日本大震災の被災地報道、相模原障害者施設殺傷事件などを担当。子どもを巡るテーマ、障害者福祉、ハラスメント問題を継続取材。本書では主に第1章、第6章を担当。

塩田彩（しおた・あや）

大阪府出身、2009年入社。前橋支局、生活報道部を経て2019年春より現所属記者。知的障害や発達障害がある人の生活支援、ハンセン病問題、性暴力問題などを継続取材。2020年国際女性デーに合わせた企画「声をつないで」に参加。本書では主に第4章、第5章を担当。

鵜塚健（うづか・けん）

東京都出身、1993年入社。大津支局、大阪社会部、テヘラン支局長、京都支局次長などを経て2019年春から現所属副部長（デスク）。著書に『イランの野望〜浮上する「シーア派大国」』（集英社新書）。本書では第5章の一部と全体のとりまとめを担当。

SNS暴力《ぼうりょく》

なぜ人《ひと》は匿名《とくめい》の刃《やいば》をふるうのか

印　刷　2020年９月15日

発　行　2020年９月25日

著　者　毎日新聞取材班《まいにちしんぶんしゅざいはん》

発行人　小島明日奈

発行所　毎日新聞出版

〒102-0074
東京都千代田区九段南1-6-17　千代田会館５階
営業本部　03（6265）6941
図書第一編集部　03（6265）6745

印刷・製本　光邦

ISBN978-4-620-32647-4